自然科学ヒストリア

ギリシャ哲学から
現代科学まで

見附孝一郎

瀬谷出版

まえがき

本書は、著者が私立大学の化学科一年生に開講している自然科学史に関する授業の内容をまとめたものです。

本を書こうと考えたのは、化学科生が読んで役に立つオーソドックスな科学史の教科書が欲しいと常々感じていたことが第一です。また、授業中にノートを取らない、試験直前まで配布物には見向きもしない（少なくともコロナ禍の前までは）、授業中に質問や意見もなく静まり返っている、そういった学生達の姿を見て、担当教員が本を著せば、彼・彼女らが少しでも予習や復習をしてくれるのではないかと期待したことも動機の一つになりました。

我田引水になるかもしれませんが、パソコンにキーワードを打ち込めば膨大な検索結果が溢れかえる現代を過ごす若い人達にとって、将来自分が携わるかもしれない学問分野の時代的流れを理解しておくことは大事だと考えています。

インターネット上の玉石混淆の情報の中から、本当に信用できるもの、有用なものを選び出してそれらを取捨選択すること、こういった作業を怠ると誤った方向に誘導され無駄な時間と労力を費やしてしまう恐れがあります。

それを防ぐための方法のひとつが、過去の学問の変遷を俯瞰することだと感じています。自然科学の発達の流れを時系列としてとらえ、物事を相対的に見ることで、偏った主観的考えに捕らわれず、他との関連付けや比較をとおして客観的に判断をするための能力が育まれるのではないでしょうか。

自然科学史を学ぶべきもう一つの理由として、複数の領域や文化を横断的に行き来することで、与えられた課題を多面的に検討しそれに対して様々な解決策を編み出すための論理的思考力が養われることがあります。単一の専門領域だけに視野が限られていると、初めて経験することに対して、設定すべき問題が何かということすら見損じてしまうかもしれません。

欧米の大学では初年度に、古代のギリシャ哲学者や一七～一九世紀の思想家・科学者たちの古典書を題材としたアクティブラーニングの授業が広く行われていると聞きます。それらをとおして、課題に関する論点の枠組みを設定し、自分の意見をまとめ、他人と議論するという能力が自然と備わっていくのでしょう。

実は私自身が、自然科学史の授業を始めるまで、専門とする物理化学ですらその歴史的背景について手中に収めているとはとうてい言えませんでした。

二〇年間の国立研究所在職時は、自分の仕事に即戦力となる知識や技能の大部分が量子化学と分光学でした。力学、電磁気学や統計力学については、差し当たり学部修了時レベルの知識があれば研究に支障が出ることはほとんどなく、研究課題が進むにつれ、必要とする場面で論文を読んで最新の学説、理論や実験技法だけ吸収すれば間に合ったのです。
しかし、私立大学に移り学生相手に講義することになり、自然科学史に関する自分の教養に随分と欠損と偏見があったことに気付かされました。その後、授業資料をまとめる作業を通して、一九世紀以降の化学者達の入り組んだ系譜を整理するなど、広い視野で見渡すことができるようになったと実感しています。

自らをさらに振り返れば、専門領域以外の分野については、自然科学史に関する知識は表層的なものに留まっていたように感じます。しかし、これから二一世紀を生きる若い方々はそんなことも言ってはいられないでしょう。化学は自然科学の中でも長い歴史のある基本的な学問分野ではありますが、最近では学際的分野も広がり、物理・生物・情報・医学・薬学・環境・気象に及ぶ極めて広範な学識が必要となっています。

身近な例を挙げてみます。二〇二〇年と二〇二一年のCOVID-19の感染拡大騒動のなかで、コロナウィルスの検出には、もっぱらＰＣＲ検査が用いられていました。でも、ＰＣＲ増幅されたＤＮＡをリアルタイムに検出する技術として、蛍光分光や蛍光共鳴エネルギー移動（ＦＲＥＴ）という物理化学の基本技術が利用されていることは、おそらく多くの学生が意識していないのではないでしょうか？

もう一つ例を挙げます。医療分野でアルツハイマーの診断などになくてはならない磁気共鳴画像法（ＭＲＩ）が、分析化学の定番装置である核磁気共鳴（ＮＭＲ）の応用技術であるということをどのくらいの化学科生が知っているでしょうか？

化学科の卒業研究にも学問分野の多様化を見て取ることができます。たとえば、①合成した有機化合物の極低温下磁気物性測定、②遺伝子の取扱い技術、③量子化学計算での機械学習などなど、他分野に深く立ち入らないと自分の行っている研究の位置付けすら難しくなってきています。こういった点からも、大学入学後の早い機会に、ギリシャ哲学、中世の科学と宗教の関わり、近代の科学革命、現代自然科学の急激な発展と変貌といった自然科学全体の流れを把握しておくことは、のちのちの学習に様々な恩恵をもたらすであろうと信じています。

本書の記述方針について、二点ほど述べておきます。第一に、私は伝記作家ではないので、特定の科学者のエピソードや逸話の類はできるだけ避けて、極力、多くの文献に登場する最大公約数的な事柄だけを記すよう努めました。第二に、歴史学者でもないので、その科学者の発見・発明とその時代の政治的・経済的・社会的背景との関連性に関しては一部の例外を除いて言及していません。

本書は高校生、大学生などの若い読者層だけでなく、今から転職や勤務先変更に向けて専門分野を変えようと思っている三十代、四十代の方々、科学史を一般教養として習得したいと思われているシニア世代の方々にも十分に役立つと自負しています。そうはいっても二五〇〇年にわたる自然科学史をこの本一冊に詰め込んだこともあり、筆者の勘違いや思い込み、短絡的記述などがあるかもしれません。今後とも各方面の方々にご助言をいただいて改訂していくつもりです。

本書を刊行するにあたり、福井若恵氏には多くの魅力的なイラストを描いていただきました。また、瀬谷出版の瀬谷直子氏には、本書の刊行目的を理解し、その実現に向けて取り組んでいただきました。ここに感謝の意を表します。

二〇二三年四月

目次

序章　私たち人間と自然科学の関わり

❖ 過去の出来事は科学史の鏡に像を結ぶ

歴史的記録が残されている紀元前二〇〇〇年頃から現代にいたるまで、世界中で多くの出来事や社会現象が次々と起こります。それらは、国王による統治であったり、民族間の紛争や戦争であったり、その他、国家間の政治的交渉や交易、農業や製造業の形態変化、宗教の浸透と拡散、疫病の蔓延と医療の進歩、教育や文化的活動の振興などであったりと様々です。

世界史を学ぶ上で、こういった事象に対する直接・間接の要因、言い換えれば時代背景を読み解く必要がありますが、しばしばその時々の自然科学分野の発見・発明が重要な要因となっている例が認められます。実際に、人々の世界観、宇宙観、物質観、生命観は、自然科学の進歩や変遷とともに変化し続けてきたと言えます。一方で、自然科学も歴史上の事象によって影響を受けて、その流れや方向性が形作られて新たな発展を遂げてきたとも言えるでしょう。

❖ 古代から中世の自然科学

古代国家において、多くの人々は、神が宇宙を創造しその中心に地球があると信じていました。

そして、月、太陽や惑星の動きが日常生活に直接結びついており、占星術で吉凶を占っていました。その後、天文学の知識が増えてくると暦と時間が定められ、季節を正確に把握できることが農耕社会に多大な恩恵をもたらしました。

世界に先駆けて科学の発達がもたらされたのはギリシャの都市国家であり、そこで活動する哲学者達でした。彼らは思索をめぐらして、天体の運行や万物の根源から動植物や人体、そして精神や自己におよぶまで哲学的に追究していました。しかしひとたび戦争が起こると、こういった哲学者は強い愛国心に基づいて自国の勝利のために科学力を結集して戦争に加担しました。アリストテレスがマケドニア王国の軍師を務めていたり、アルキメデスが様々な武器を開発したりしたことはよく知られています。

古代から中世には天然痘やペストが流行し、古代ギリシャの衰退や中世ヨーロッパの人口激減などをもたらしましたが、中世までは疫病は悪霊や天体運行によって誘導されると信じられ、治療行為は呪術や占星術と直接結びついていました。

❖ 近世から近代の自然科学

中世ヨーロッパでは、司祭、修道士、スコラ哲学者らが、古代ギリシャのアリストテレスの教えに基づいて神の啓示を解釈し、キリスト教会の権威を強化しました。近世に入りルネッサンス時代には、商業が先行して栄え、教会中心の価値観から個人を重んじる人間中心の価値観へと変化していき、自然の事物のありのままの姿を観察するという自然科学の客観的態度が次第に芽生えてきました。さらに、羅針盤が発明され大航海が可能になり、南米大陸やアジアなどから様々な物資がヨーロッパに流れ込んできました。また、イスラムから伝わった活字印刷技術に基づいて、グーテンベルクは活版印刷機を開発しました。それによって国王・貴族などの上流層はもとより、商人や一般の民衆までが多くの知識を短期間で得ることが可能になりました。

そういった情報革命の影響で宗教改革や宗教戦争が引き起こされ、ヨーロッパ全土に混乱が広がりました。また、科学技術は火薬や銃火器などを生み出し、それらが戦争に利用されるようにもなりました。

コペルニクス、ケプラー、ガリレオ、ニュートンが主導した天文学と物理学の科学革命に始まる近代科学への転換は一七世紀に一気に進みました。

また、近代的な医療科学が誕生すると、生体組織と自然界の間に明確な線引きがなされることで、人々の臨床医学や公衆衛生に対する意識が大きく変化していきました。

一八世紀に入ると、イギリスでは蒸気機関の発明や紡績・織布の技術革新によって産業革命がもたらされ、経済活動が活発になり金融・証券市場が発達しました。また鉄道が開通して輸送網が拡大しました。このようにして、一九世紀末までにはヨーロッパとアメリカ合衆国を中心にして本格的な資本主義社会が確立していきました。

❖ 現代科学がもたらす恩恵と難題

一九世紀後半から二〇世紀にかけて、合成繊維、プラスチック、半導体、抗生物質など様々な化学物質や薬剤が開発され、人々の生活はさらに豊かになり各種産業が桁違いの進展を遂げていきます。

その反面で、毒ガス、原子爆弾、生物兵器など大量殺戮の軍事技術が生まれ、今世紀になっても各国の軍拡競争に歯止めがかかる兆候は見られません。科学者が自由に発想し方向性を決めるという学術的活動が、軍事科学技術については、もはや許されないものも多くあります。

過去の歴史の中で、政治、経済、宗教、思想が人々の暮らしに直接的影響を与えてきたことは明らかですが、上述のとおり、それらはその時代の科学や技術に深いつながりがあると言えます。

二一世紀の現代、我々は高度な物質社会の恩恵の中で生活しています。しかし、同時に核拡散や地球環境の変化などの多くの深刻な問題を抱えています。それらの多くは、これまでの人類の活動に起因するものであり、自然科学がもたらした諸産物が、結果的に様々な難題を作り出していると言えなくもありません。

現在直面している問題にどのような解決策があるか、新しい技術・製品が地球の資源や環境にどういった影響をもたらすか、自然科学の様々な領域の歴史を学ぶことがこういった問題意識を持つための契機となるのではないでしょうか。

第1章　科学の定義と発展の仕方

1　自然科学における方法論

❖ 自然科学の定義と分類

科学はラテン語のScientiaから派生した英語のScienceの和訳ですが、通常は自然科学のことを指しています。そして、自然科学とは、自然現象から普遍的な法則を見つけて、それらを体系的な知識に仕上げる客観的方法と定義されています。広辞苑によれば、自然科学とは「世界と現象の一部を対象領域とする、経験的に論証できる系統的な合理的認識」と説明されています。

言い換えれば、誰に対しても伝達できる知識で、しかも別の科学者が検証できる知識が自然科学であるということになります。つまり、内容が正しくて有益な知識・知見であっても、伝達されなければ自然科学たる資格はないし、他の者が同じ条件と手順でその実験や観察を行ったとき、同じ結果が得られなければ、やはり自然科学とは言えないということになります。

自然科学を二つに大別して、純粋科学と応用科学に分けることがあります。純粋科学は、自然現象を客観的に説明できるような法則・原則を追究することを主目的としています。これに対して、応用科学は、我々の実生活への応用を追究することが主目的になります。物理学、化学、生物学は純粋科学に、医学や農学は応用科学に分類されると考えてよいでしょう。

科学と対比される概念として「技術」があります。技術とは、「目的を実現するために自然物を改良したり加工したりする主観的かつ価値的な方法」と定義されます。人間生活の中で、実践的に積み上げられてきた知識や知恵に基づいて生まれた道具や必要物が「技術」であると言い換えてもよいでしょう。ただし、そのような様々な知識や知恵の中から一部を選んで、お互いの因果関係がわかるよう論理的にまとめあげることができれば、技術から自然科学へと変容を遂げることもあります。

❖ 演繹的科学と帰納的科学

先に述べた通り、自然科学では議論が論理的に展開されていくことが必要です。その際の論理の構築法の違いから、自然科学を演繹的科学と帰納的科学に分ける見方もあります。

演繹とは、一般的な法則や原則から個々の現象を説明するという論理的な方法です。自然科学の中でも数学と論理学は演繹的科学であり、もしくは形式科学に分類されることもあります。ここで形式科学とは、論理的に構築された記号や式の規則および推論などによって成り立つ形式体系を対象とする学問で、後に述べる経験的事実・現象を対象とし実証的な方法で研究する経験科学と対になる用語です。

演繹的に議論を展開する手法は、ギリシャの哲学者アリストテレスに由来します。アリストテレスは経験的事象を元に演繹的に結論を導き出す分析論を重視しました。このような手法は論理学として三段論法などの形で体系化されました。ただし、アリストテレスの用いた法則・原則自体が不完全だったため、得られた結論に多くの誤りが含まれており、このことが後世の人々に様々な混乱をもたらしたのです。

演繹に対し、帰納とは複数の現象をもとにその規則性から法則・原則を導き出すという方法です。数学と論理学以外の自然科学のほとんどの分野は、帰納的科学もしくは経験科学に属するとされています。

ただし、完全な帰納法を展開するためには、十分な数の現象を調べ上げることが前提ですが、実際問題としてそれは困難な場合がほとんどです。このため自然科学においては、純粋な帰納法よりも、むしろ以下に述べる仮説形成法で論理的推論を展開していくやり方が使われています。

❖ 仮説形成法の進め方

仮説形成法では①→②→③→①′→②′…の手順を繰り返すことで推論を進めます。

①**仮説形成**：ある現象の規則性に対して、現在分かっている法則・原則または過去の知識などを適用して、前提となる条件を仮定する。

【図１】トマス・ヤングの二重スリットの実験

②**実験または演繹**：実験または演繹によって結果を出す。

③**仮説検証**：結果が期待される現象の事例に矛盾していなければ、仮説は正しい。

①′矛盾していれば、別の仮説を立てる。

②′再度、実験または演繹で結果を出す。

以下はこの繰り返し。

例として一九世紀初頭に光の波動性を主張したトマス・ヤング（一七七三〜一八二九）の論理的推論について考えてみましょう。

一八世紀まで、ニュートンを始めとして多くの科学者が、光が直進すること、鏡で反射することなどから、光は粒子であると主張していました。医師であったヤングは、人間の聴覚と視覚の研究をしており、音と光に興味を持っていました。

彼は、音が障害物の後ろでも聞こえる回折現象および音が重なり合うと強め合ったり弱め合ったりする干渉現象を取り上げて、これらが起きるのは音が波の性質を持っているためと説明しました。

一方、光を小さな穴に通すとにじんで見えることから、音と同様の波の性質を持っているのではないかとヤングは考えるようになりました(①)。

自分が立てた仮説を証明するために、ヤングは図1のような二重スリットの実験を考案し、光の波が回折してスクリーンに強弱の縞模様を生ずることを示したのです(②)。

得られた結果は「波は干渉する」という法則から導かれる干渉現象そのものであったので、「光は波の性質を持つ」という仮説は正しいということが検証されました(③)。

2 科学の新展開をもたらす要因

〈1〉着実・緻密な研究活動と唐突的・飛躍的な進展

❖ 研究のブレークスルーが起きるとき

自然科学の進展の大部分は、用意周到な準備、長期に渡る観測・実験・計算・理論構築、および慎重な結果分析の繰り返しからなる地道な研究活動をよりどころにしています。衝撃的な発見、発明がなされた後で、しばしば後付けのように世評に上る「天啓や幸運の飛来」といったエピソードは、鵜呑みにしないほうがよいと思います。

もちろん、科学者に突然の閃きやアイデアが訪れることはよくあることですが、落ち着いて考えてみて、結局は誤解だったり陳腐だったりすることがほとんどです。通常は、地道で着実な研究活動が、所期目標を達成するための最短の道筋なのです。

それでも、過去の幾つかの事例は、研究のブレークスルーが不意にやってくることを示唆しています。科学史に残る有名な発見や発明は、たいてい周囲の人たちが容易に受容できない性格のものですから、当人すら予期していなかった結果であっても不思議はありません。

科学者は仮説形成法を繰り返しながら研究を進めます。そして、予想に反する結果が得られたとき、もしくは目標とは無関係の結果が得られたときに、心を白紙の状態にしてそれを吟味する態度が歴史的な発見につながった例は、いくつもあります。学術記録の信頼性が低い一八世紀以前は除くとして、X線の発見、ペニシリンの発見、テフロンの発見、宇宙由来の電波の観測などは、典型的な上記の例と言えます。

研究のブレークスルーがもたらされるもう一つのケースとして、様々な事情が偶然重なって、本人が予期せずして目標が実現されて大発見や大発明につながることもあります。こういった僥倖と言える場合でも、舞い降りたチャンスを見逃さずに的確に利用することが、画期的な発見・発明につながるのです。例としてDNAの二重らせん構造の発見、導電性ポリマーの発明などを挙げることができます。

〈2〉パラダイム、通常科学、STS

❖ パラダイムとパラダイムシフト

アメリカの科学史家のトーマス・クーン（一九二二〜一九九六）は主著『科学革命の構造』（一九六二）の中で、自然科学史における「パラダイム」という用語を初めて提唱しました。パラダイムとは、一定期間になされた、科学の方向性や方法論、さらには科学の精神そのものを決定してしまうような革新的な発見、発明、証明のことです。

一方、あるパラダイムの上に立って科学的知見を積み上げ、拡張させ、進歩させていく仕事が「通常科学」となります。ところが、何らかの事情が生じたり、基礎となるパラダイムに誤りがあったりして、通常科学がそれ以上進まなくなることがあります。そのときに、旧来のパラダイムに取って代わり、新たなパラダイムが出現することが起こります。これをパラダイムシフトまたは科学革命と呼びます。

❖ 各分野のパラダイムシフト

最初のパラダイムシフトは一六世紀から一七世紀にかけて物理学、天文学、数学の分野で始まりました。初期の中心人物は、惑星の軌道を説明する三つの法則を発見したヨハネス・ケプラーと物体の運動に数学的手法を持ち込んだガリレオ・ガリレイの二人です。その後、アイザック・ニュートンは万有引力の法則を用いて地上の運動と天空の運動を統一的に理解することに成功しました。ニュートンの著書の『プリンキピア』は多種多様な運動理論が盛り込まれており、近代科学の扉を開いたと見なされています。

化学分野におけるパラダイムシフトは、一八世紀末のアントワーヌ・ラボアジェが創出した定量化学と考えられています。彼は化学反応の前後で反応物と生成物の重量を厳密に測定することで、物質の燃焼に関する一般的理論を提案しました。また彼の著書『化学原論』で古代ギリシャから続いた少数元素説を否定し、元素の近代的な定義を提出しました。

生物学分野におけるパラダイムシフトとして、ダーウィンの進化論が挙げられます。彼の主著の『種の起源』によると、生存競争に有利な形質を持つ個体は生き残って進化し続けるが、不利な形質を持つ個体は自然淘汰されると説明されています。

次に、分子遺伝学の分野でのパラダイムシフトとしては、クリックとワトソンによるＤＮＡの二重らせん構造の発見が有名です。塩基の結合様式を詳しく調べることで、遺伝子情報の複製メカニズムを解明した彼らの仕事は、二〇世紀の自然科学を代表するような大発見であることに疑問の余地はありません。

❖ ＳＴＳ（科学技術社会論）

二〇世紀に入り、自然科学と政治・社会・経済との結びつきが強くなるにつれ、科学者だけの営みとしてのパラダイムと通常科学の枠組みだけでは、科学技術の発展を議論できなくなってきました。こういった学際的な領域を取り扱う研究分野をＳＴＳ（科学技術社会論）と呼びます。

二〇世紀の科学技術の発展を特徴づけるものの一つが軍事科学技術になります。無線技術、暗号解読技術、航空技術、化学兵器、生物兵器など枚挙にいとまがありません。軍事科学における研究成果の機密保持は、「知識は伝達され検証されるべきものである」という自然科学の大原則に反しています。それでも原水爆、ロボット兵器、情報収集コンピュータなどの開発には、科学者だけで方向性が決められるわけではなく、当然ながら政治・社会・経済によって大きく左右されます。ジェローム・ラベッツはこういった科学者集団だけでは扱えない科学技術のことを「ポスト通常科学」と名付けています。

第2章　科学の源流と物質の根源論

1　古代文明の発祥

〈1〉メソポタミア文明

❖ 世界最古の文明で農業技術が確立

四大文明の一つであるメソポタミア文明は、紀元前三一〇〇年頃にチグリス川とユーフラテス川によって作られた肥沃な土地に始まりました。最初に栄えたシュメール人国家では灌漑技術、農業技術、農機具加工技術などが確立されたと言われています。

紀元前二五〇〇年頃から青銅器時代に入り、その後、古バビロニア王国のハンムラビ王は神意をさぐるための手段として占星術を発展させ、それに関連して天文学や数学が進歩しました。彼らは太陽の運行の様子から、一年が約三六〇日だということを把握しており、これがもとで、円周を三六〇分割することで「度」の概念を生み出したとされています。また、バビロニアの人々は様々な計算に六〇進法を利用していました。

ただし、人々は太陰暦を採用したことにより、月が地球を一周する時間をひと月として暦を作製しました。その結果、一年が地球の一公転とずれてしまう事態に陥り、農耕社会には太陰暦はあまり向いていませんでした。その一方で、水時計や日時計が発明されました。

バビロニア王朝では楔形文字が言語として使用され、銅や青銅が食器や武器に使われていましたが、紀元前一六〇〇年頃に鉄器を持ったヒッタイトに滅ぼされました。また、ハンムラビ法典（紀元前二〇〇〇年頃）のもとで、医師は高度に組織化され、治療に対する報酬の額や医療過誤に対する罰則まで定められていました。

〈2〉エジプト文明

❖ 農民のための測量術から幾何学が誕生

四大文明の二つ目がナイル川下流の広大なデルタ地帯に発達したエジプト文明です。

古代のナイル川沿岸は、一大穀倉地帯でした。毎年の雨期の後、ナイル川が氾濫し、上流域の森林地帯から大量の土砂を運んできて堆積し、農家間の土地の境界線が分からなくなりますが、それをいいことに、ずる賢い地主や権力者が土地を我が物にして農民を困らせていました。

そこで、国王は氾濫する前に土地を測量してすべての農民の持ち畑を図面化し、氾濫が治まった後で元通りの区画を再現して農民に元の農地を確保するのを助けたと言われています。そうして、複雑な土地の境界線の測量術が発達し、これを元にして後に幾何学が生まれました。

また、エジプトの農耕では土壌を運んでくるナイル川の氾濫が重要でしたが、その氾濫の周期を知るために、太陽が地球を一周する時間が一年となる太陽暦が採用されました。

❖ 自然科学の予兆

一八五八年に発見された医学に関する文章、『エドウィン・スミス・パピルス』の中に、紀元前二五〇〇年頃に遡ったエジプト文明の外科手術が詳しく記されています。それによると、ピラミッド建設中の事故による怪我人に対して手当てをしたり頭部の裂傷の隙間から脳を触診したりといった記録があり、これは人類初の医療行為と言えるでしょう。さらに、公衆衛生や医薬品利用に関する記載もあります。なお、当時は心臓が精神作用を司ると考えられていました。

『エドウィン・スミス・パピルス』の中には自然科学について触れられている部分もあり、紀元前二五〇〇年から二〇〇〇年頃にかけて、金属を溶融加工して青銅、鉛、鉄の道具を製作していたことが分かります。このように自然科学の予兆は見られますが、自然の真理を追究しようとする純粋科学の芽生えはまだほとんどありませんでした。自然観察のもとで科学的活動はなされていましたが、その多くは呪術的様相を帯び、主に王や神官の執政において利用されていました。

〈3〉インド文明

❖ 医術が進歩

紀元前二六〇〇年頃インダス川流域に栄えたインダス文明はモヘンジョ・ダロ遺跡に見られるように高度な文明が栄えていましたが、紀元前一八〇〇年頃以降は洪水や気候変動によって急速に衰えました。

紀元前一五〇〇年頃にアーリア人がガンジス川流域に進出し、カースト制によって民衆を支配しました。彼らは自然現象を崇拝し、雷や太陽を神と見立てて聖典ヴェーダのもとバラモン教を信仰していました。

マヒダーサ・アイタレーヤはインド哲学の創始者とされています。彼は万物の根源が地、水、風、生気、空であると説きました。

また、ゼロという概念はインドで初めて生まれたと言われています。ゼロの発見はそれ以降の数学の発展に大きな役割を果たしました。

古代インドでは特に医術が進歩し、病気診断の様々な技術が広まりました。ヘビの解毒剤、医療器具、種痘などもこの時代に生まれたもので。サン・スクリット語で書かれた医学・科学書としては『アーユル・ヴェーダ』がよく知られています。

〈4〉黄河文明

❖ 自然科学より思想を尊重

四大文明の最後が古代中国の黄河文明です。

紀元前一七世紀頃から歴史に登場した商（殷）、紀元前一〇四六～二五六年まで続いた周王朝とその後期の春秋戦国時代（BC七七〇～四七六：BCは紀元前を表す）は戦争の連続であり、鉄器が普及し兵器として用いられました。一方で、鉄製農具のおかげで農業の飛躍的発展がもたらされました。

中国では客観的観察による自然科学よりも、孔子・孟子などの思想が尊重されました。そして、中国の学問の特徴として、紙に書いて読み書きし、相手に伝達することが重要視されたことが挙げられます。

一方、西洋の学問は相手と議論して説得することが大事であり、レトリック（修辞学）という効果的な言語表現を磨いて相手を言い負かすことが重んじられました。たとえば、アリストテレスの著作として羊皮紙に書いて残されたものは、彼の議論を弟子や後世の著述家が記録したものです。

紀元前一〇世紀頃には、鉄を磁化する方法がわかっており、羅針盤や航海用コンパスが発明されています。また、世界でも希少な天然の硝石が採れるおかげで、中国では早くから火薬を作る技術が確立していました。紀元前三世紀には花火の原型となるものも製造されていたという記録が残っています。

2 古代ギリシャのイオニア文明とギリシャ科学の起こり

〈1〉イオニア文明

❖ ギリシャ哲学の誕生

古代ギリシャ文明は大きく分けて、エーゲ文明、イオニア文明、アテネ文明、ヘレニズム時代（アレクサンドリア時代ともいう）に分けられます。

小アジアのトロイアの発掘によって、紀元前三〇〇〇年頃に始まったエーゲ文明が実存することが明らかになりました。そして、エーゲ文明後期になって、その中心地はクレタ島から地中海沿岸のミケーネへと移り、紀元前一七〇〇～一二〇〇年頃に最盛期を迎えました。

その後、ドーリア人（ドーリア方言のギリシャ人）やイオニア人の侵入によって王宮は破壊され、紀元前八世紀からのイオニア文明に移行します。この頃にスパルタやアテネにポリスと呼ばれる都市国家が形成されました。紀元前七世紀～五世紀がイオニア文明の最盛期になります。

古代ギリシャ時代は学問一般を「哲学」と呼びました。この哲学は自然科学に近いのですが、考え方は観念的かつ思弁的であり、経験や実証にはほとんど頼らないという点で現代の自然科学

【図2】主な古代ギリシャ哲学者と彼らが活動した都市

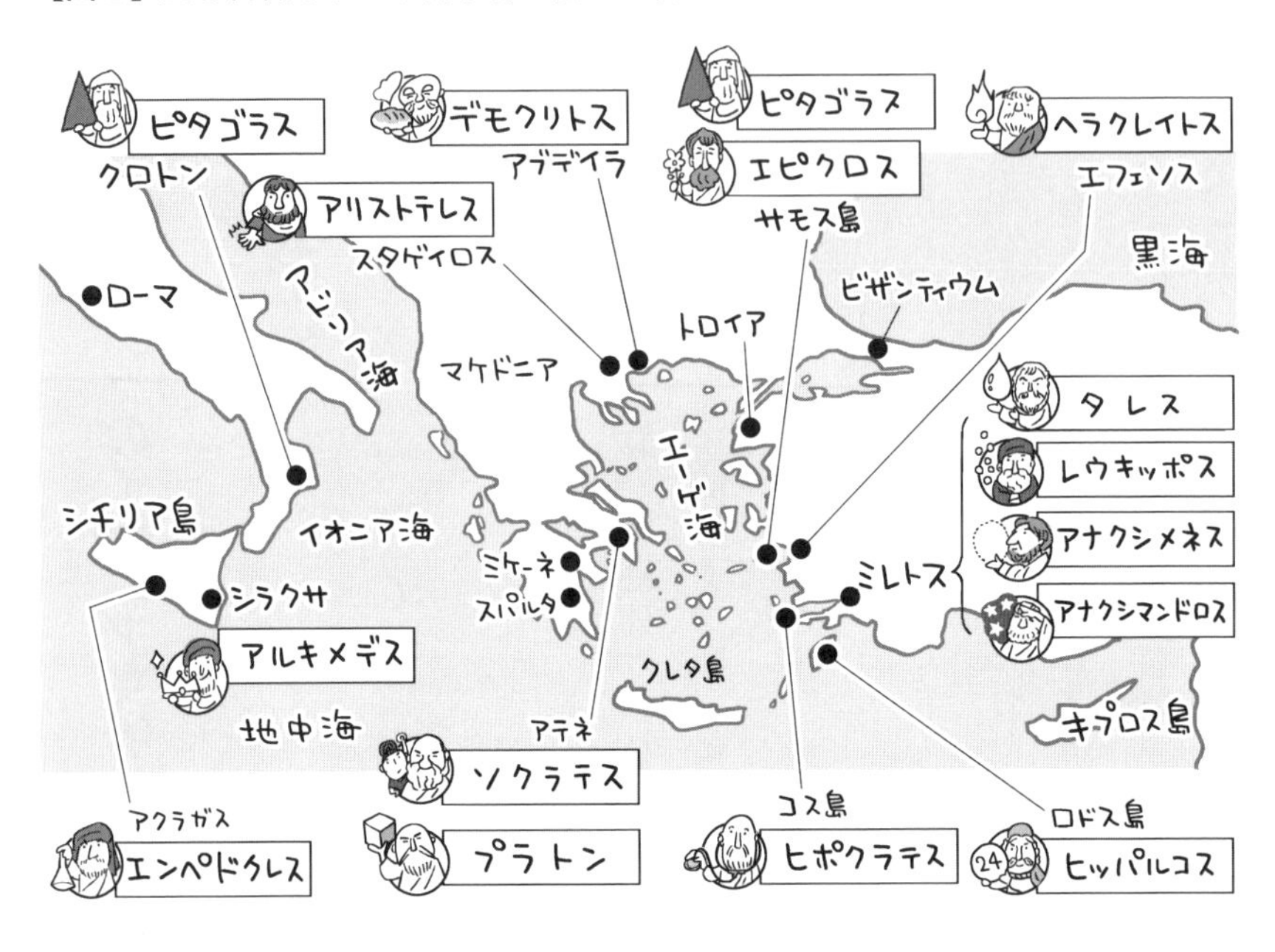

とは大きく異なります。初期のギリシャ哲学は、紀元前六世紀に、イオニア地方のミレトスを中心に発生したとされ、イオニア学派と呼ばれています。

❖「万物の根源は何か」に関心

イオニア学派の自然科学者つまり哲学者らの最大の関心事は、万物の根源すなわち原質が何かという問題でした。ミレトスで活動したタレス（BC六二四頃〜BC五六五）は物体論を説き、水こそが原質であると主張しました。これに対して、アナクシメネス（BC五八五頃〜BC五二五）とヘラクレイトス（BC五四〇頃〜BC四八〇頃）はそれぞれ空気と火が根源物質であると考えました。一方で、アナクシマンドロス（BC六一〇頃〜BC五四六）は、原質を「無限なるもの」であるとしました。タレスはイオニア海軍に協力して夜間航行法や測量技術を指南したと記録されており、愛国心が強い人物であったと考えられます。

同時代のピタゴラス（BC五八二頃〜BC四九七頃）はイオニア時代の代表的科学者で、万物の原理を「数」と考えました。そして、数の法則あるいは比例関係に基づいて世界の調和が成り立っていると主張しました。これ以外にもピタゴラスとその弟子達は、地球が太陽と月と諸惑星の軌道が作る同心球の中心にあるという天動説の原型を唱えたり、三平方の定理を証明したりしたことでも有名です。ただし、最近の考古学研究では、バビロニア王朝の遺跡で三平方の定理の証明を記した壁画が発見されており、ピタゴラスよりはるか以前にこの定理は見つかっていたと考えられています。

〈2〉万物の根源と原子説

❖ 四元素説の登場

紀元前五世紀になると、人類初の物理学者と言われるエンペドクレス（BC五〇〇頃〜BC四三〇頃）が登場しました。彼は、火・空気・水・土の四元素説を唱え、四つの元素の様々な形態の違いによって自然界の変化が生じると説明しました。また、エンペドクレスはクレプシュドラと呼ばれる漏斗状（じょうご形）の器具を用いて空気の実在を示す実験を行ったことでも知られてお

【図3】エンペドクレスによる空気の実在を示す実験

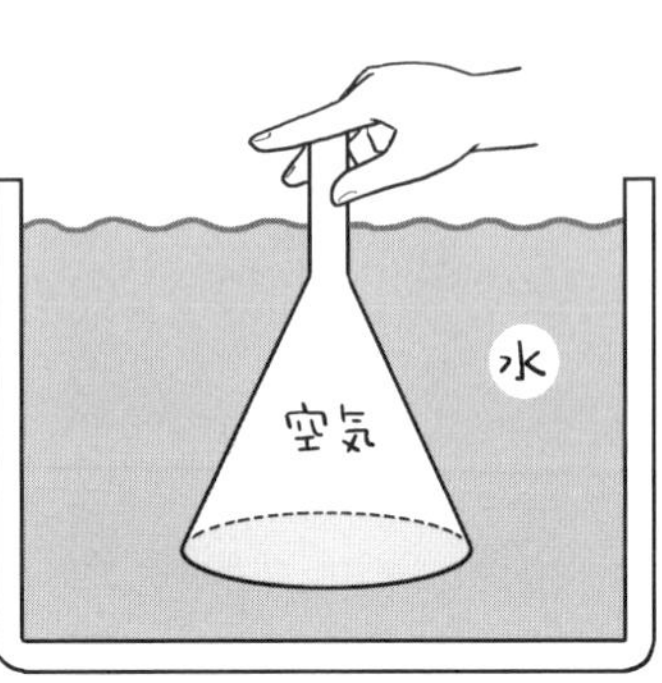

り、観念の世界を展開しただけの哲学者が多い古代ギリシャ時代の中で、その存在は異色と言えるでしょう。

エンペドクレスと同じく、ヒポクラテス（BC四六〇頃～BC三七七）も火・空気・水・土を自然界の基本要素としましたが、さらに彼はそれぞれを黄胆汁・血液・粘液・黒胆汁といった人間の体液と結びつけて四体液説として発展させました（三一ページおよび三八ページ参照）。このヒポクラテスは、コス島で活躍し、ギリシャ医学を大成した哲学者としてよく知られています。彼は医学を迷信や呪術から切り離して取り扱い、医師としての経験から怪我人や病人の患部と症状に何らかの関連性があることを知っていました。この点は、主に思索だけに基づく生命観を展開した後世のアリストテレスとは大きく異なっています。

❖ デモクリトスの原子説

多くの哲学者は、万物の根源が何かを知りたいという欲求だけでなく、物を小さく切り分け続けていったとき、最後に何に到達するかということにも強い興味を抱いていました。ミレトスに生まれたレウキッポス（ＢＣ四三〇年頃に活躍）はそれを原子と呼び、「原子は微小なため分割できない。空虚な空間中で運動していて、集合しては存在となり、離散すれば感覚から消え失せる」という考え方を主張しました。

レウキッポスの原子説を発展し集大成させたのは、彼の弟子のデモクリトス（ＢＣ四六〇頃〜ＢＣ四〇〇頃）です。彼は万物の根源をアトマス（分割できないもの）とその間隙を埋めるケノン（空虚、真空）であると考えました。彼の思考方法を示す次のようなエピソードが伝わっています。

（１）ある日、二階にいると、従者がパンを持って階段を上がって来る良い香りがした。パンの中に含まれている小さな粒子が空気中に放出されたのであろう。

（２）チーズを半分に切る。それをまた半分に切る。ずっと続けていくとどこかでそれができなくなる。その限界が原子である。チーズと木材の硬さの違いは原子の詰まり具合の違いによる。

デモクリトスの著作物は現在では何も残っていませんが、彼の説は弟子のエピクロスに受け継がれ、その後、ローマ人のルクレティウス（ＢＣ九六頃〜ＢＣ五五）が長編の詩「事物の本性について」として記述しました。デモクリトスやエピクロスの原子説を賛美するこの詩によって彼らの考え方は後世に伝えられたのです。

こういった原子説は、一八世紀以降その形を変化させ、ラボアジェやドルトンによって近代的な原子論へと復活を遂げることになります。

3 アテネ時代のギリシャ哲学

〈1〉ソクラテス

❖ ソクラテスのイデア

イオニア文明の多くの都市国家の中で、紀元前五世紀に入り、次第にアテネが台頭してきました。紀元前四世紀から紀元前二世紀にかけてはアテネ文明もしくはアテネ時代と呼ばれています。

紀元前四七〇年頃に活躍したソクラテスは、アテネ時代初期の代表的哲学者として、その言動は後世に大きな影響を与えました。彼は、イデア（知恵）によって人間社会を秩序付けようとしたのです。

ソクラテスは、「自然界には普遍の原理、不滅の基本粒子があると訴える自然学者たちがいるのと同じで、人間社会にも普遍的で基本的な人倫の大儀であるイデアがある」と説きました。

ソクラテスは熱烈な愛国者で、戦争を肯定的に捉えていたという伝説が残っています。またソクラテスの妻クサンチッペは典型的な悪妻として知られています。ソクラテスが語ったとされる言葉に「ぜひ結婚しなさい。よい妻を持てば幸せになれる。悪い妻を持てば私のように哲学者になれる」というものがあります。また、「そんなにひどい妻なら別れたらどうですか」と言った人に対しては、「妻と仲良くやっていけるようなら、どんな人とでも仲良くやっていけるでしょうからね」と答えたそうです。

〈2〉プラトン

❖ プラトンの四元素説

古代ギリシャ最盛期の代表的な哲学者のプラトン（BC四二七〜BC三四七）は数学的自然科学の流れを進化させたことで知られています。彼が創設したアカデメイアの入口には、「数学に無知なる者は入ること適わず」との掲示がなされています。プラトンには多くの顕著な功績があり、後世、それらの幾つかは中世科学者の考え方よりもむしろ本質に近いことが認められています。

プラトンは、対話によって真実を追究していく問答法を哲学の唯一の方法論としました。彼はソクラテスのイデア論をさらに発展させて、観念論的哲学を確立させました。そしてピタゴラスの宇宙論を踏襲して、物質は四つの元素からなるという四元素説を主張しました。ただし、先に述べたエンペドクレスの四元素説とは異なり、それぞれが多面体をしていると考えました。それらは、火（正四面体）、土（正六面体）、空気（正八面体）、水（正二十面体）であるとし、元素にはそれぞれ属性と目的があり、「愛」や「争い」の力で制御されていると考えました。

また、プラトンは宇宙の起源や天体の運行についても考察しました。

彼によれば、宇宙は神の合理的プランで秩序化され、それは完全無欠の球形であり、四つの元素が同じ割合で混ざっていると考えました。水星、金星、火星、木星、土星の五星はそれらの軌道が円形であるとしましたが、金星や火星などが単純な円運動ではなく、行きつ戻りつするように見えることから、五つの星をさまよえる星、すなわち惑星planetesと命名しました。惑星を表す英語のplanetは、このプラトンの命名に由来しています。

さらに、プラトンは、合理的判断、理性、思考などを司る「自己」というものが何らかの形で脳と関係していると主張しました。

❖ アカデメイア

前述のとおり、プラトンはアカデメイアという学校の創設者としても知られています。これは英語のacademyの語源となっています。アカデメイアでは、教師と生徒の問答によって教育が行われ、天文学、生物学、数学、政治学、哲学等が教えられました。アカデメイアは紀元前三八七年から紀元後五二九年まで約九〇〇年続き、その間に多数の哲学者が輩出されたことから「奇跡」とまで言われています。

〈3〉アリストテレス

❖プラトンの四元素にアイテールを加えた五元素説

プラトンの弟子のアリストテレス（BC三八四〜BC三二二）は万学の祖と呼ばれ、物理学・天文学・気象学・宇宙論・博物学・論理学など様々な分野で新たな学問体系を打ち立てました。アリストテレスは、ピタゴラス＝プラトンの自然観に立脚しつつも、タレス、アナクシメネス、エンペドクレスなどのイオニア学派の哲学者と同様に地上への関心を持ち続けたことにより、二つの立場を統合し、ギリシャ科学の最後の総仕上げをした人物とされています。

アリストテレスは、地上の物質が四元素から構成されているため、何らかの現実的な変化をし続けると考えました。この四元素とはプラトンの四元素と同じく火・空気・水・土から構成されますが、アリストテレスはそれぞれの元素に図4に示すような属性を割り当てました。たとえば、土は乾いていて冷たいという性質を持ち、火は乾いていて温かいという性質を持ちます。こういったアリストテレスの四元素は、ヒポクラテスの四体液説と融合して、後世の医学や薬学に大きな影響を与えました。

またアリストテレスは四元素の運動様式についても議論し、重い「土」は上から下に直線運動するのに対して、軽い「火」は下から上に直線運動すると論じました（三九〜四〇ページ参照）。

【図4】アリストテレスの五元素論とヒポクラテスの四体液説

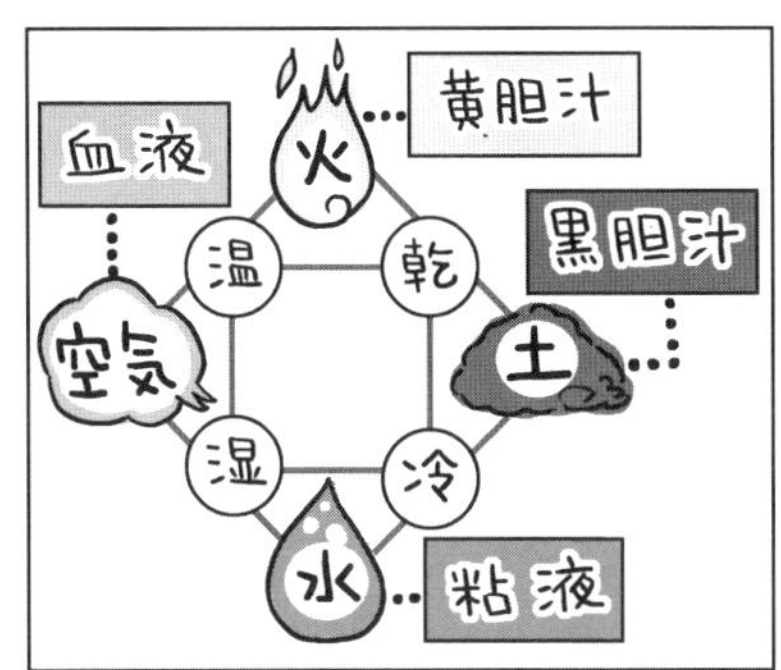

彼の解釈に従えば、果物の実は主に「土」から成っており、熟した果物の実が地面に向かって落下するのは、大地に落ちた状態がその実にとって自然な状態であるためということになります。

さらにアリストテレスは、プラトンの四元素に第五元素のアイテールを付け加えました。このアイテールはクインタエッセンティアとも呼ばれ、月から上の天上界にのみ存在します。その存在のため、天上界は永久的円運動をしており、始めも終わりもない完全な姿を持つと見なされました。

アテネ時代以降はデモクリトスの原子説よりもアリストテレスの五元素説の方が正しいとされ、後者はその後二〇〇〇年近く人々に影響を与え続けました。たとえばこの五元素説に基づき、中世の錬金術者たちは物質を変えようと努力したのです。しかし、結果的に正しかったのはむしろデモクリトスの説の方でした。

さらに、アリストテレスは人体についても思考をめぐらし、心臓には「プシュケ（霊魂）」が宿っており、それが人間の理性を司っているとしました。霊魂には栄養的な霊魂、感覚的霊魂、知性的霊魂の三種類があり、これらの霊魂の作用として、心臓から何らかの物質が血液や筋肉に送られると考えたわけです。

4 ヘレニズム時代とローマ時代のギリシャ哲学

〈1〉ヘレニズム時代

❖ エウクレイデスの幾何学

紀元前三三二年にアレクサンダー大王によって北エジプトに建設されたアレクサンドリアは、三〇〇年以上プトレマイオス朝の首都として繁栄しました。そこでは国王の科学振興の国家的施策に基づいて、ムセイオンと呼ばれる学術研究所と付属の天文台、動植物園、大図書館などが併設され、ヘレニズム文化の中心的な役割を果たしました。アレクサンダー大王の死亡からプトレマイオス朝エジプトの滅亡までの約三〇〇年間をヘレニズム時代と呼びます。

ヘレニズム時代、アレクサンドリアのエウクレイデス（ユークリッド、BC三三〇頃〜BC二六〇頃）は幾何学を大成しました。彼の代表的な著書の『幾何学原本』は一般に『原論』と呼ばれています。一九世紀まで、ユークリッド幾何学は唯一の幾何学体系でした。

科学文献学者のプロクロス（四一一頃〜四八五）は、ユークリッドの『幾何学原本』の全編に注解を付けました。プロクロスはユークリッド以前の様々な文献も調査しています。プロクロスによれば、幾何学の起こりはナイル川氾濫後の土地測量術であり、その結果として様々な作図法が生まれ、それをユークリッドが書きためた、と記述しています。彼は『幾何学原本』を人類の遺産、すなわち人類の行為を的確に読み取ることができる書とコメントしています。

紀元前三世紀にムセイオンの図書館長を務めたエラトステネス（ＢＣ二八四頃〜ＢＣ一九二頃）も著名な哲学者でした。彼はイオニア学派の定説とは違い地球が球体であり太陽光が平行線であると考えており、二箇所での日時計（グノモン）を用いた太陽の仰角[※a]の測定から、幾何学を用いて地球の外周の長さを求めました。その計算はかなり正確であったとされており、このことからエラトステネスが極めて優秀な数学者であったことが窺い知れます。

第３章の２節で詳しく述べるアリスタルコスは、地動説の立場をとったことで有名です。彼は幾何学的解析を天文観測術に応用し、太陽と月の大きさや地球からの距離を求めたことで知られています。

❖ アルキメデスが諸原理を発見

エラトステネスやアリスタルコスらと同時代のアルキメデス（ＢＣ二八七〜ＢＣ二一二）は揚水機や複滑車などの発明で知られており、浮力の原理、てこの原理等を発見しました。アルキメデスは現代に至るまで超有名な人物で、読者諸賢もきっと名前は聞かれたことがあると思います。第二次ポエニ戦争の際に、彼はシラクサ市民とともにローマ軍と戦って、鉤（かぎ）で敵の軍船を吊り上げたり、巨大投石器で敵を退却させたりしたなどといった逸話が残っています。

もう一つ話題に上るのが、にせの冠をアルキメデスが見破ったという話です。シラクサの王様が職人に金の王冠を作らせました。ところが、安い銀をこっそり混ぜているという噂が王の耳に入ったのです。そこで、王はアルキメデスにその調査を命じました。彼は最初の内はどうやれば良いか分かりませんでした。ある日、湯を張ったお風呂に体を沈めてくつろごうとしたところ、お風呂からお湯が溢れました。その瞬間、裸のままで外に飛び出して「エウレカ(分かったぞ)」と叫んで、城に向かって走り出したそうです。彼は同じ重さの金と銀を比べると、金の方が銀より体積が小さいことに気付いたのです。このことを利用して、問題の冠および同じ重さの金を用意させて、溢れる水の多少から職人の嘘をあばいたそうです。このエピソードは、科学者に舞い降りる一瞬の閃きや天啓、不意に訪れるブレークスルーの典型例として、よく取り上げられます。

〈2〉ローマ時代

❖ 都市国家、共和政から巨大帝国へと成長したローマ

紀元前七世紀に、ローマはイタリアのテヴェレ川河口に築かれた都市国家として発展し、周辺

※a　仰角　見上げたときの方向と水平面とがなす角度

の国々を征服して巨大な国家へと成長しました。王政、共和政、ユリウス・カエサルらの三頭政治を経て紀元前二七年にオクタヴィアヌスが全土を統一し初代皇帝となりました。共和政であった紀元前一四六年には、ポエニ戦争が終結し、ローマはアカイア同盟、マケドニアやカルタゴなどの古代ギリシャ都市国家群を滅ぼしました。この結果、ギリシャの文明はローマへ移ります。そして多くの自然科学の文献がローマの貴族や商人の手元に送られてきましたが、ラテン語に訳されることはなく、読まれる機会はほとんどありませんでした。

❖ローマ帝国におけるギリシャ科学

ローマの支配下になってもギリシャ人哲学者は科学研究を続けていました。その活動の場は主にアレクサンドリアでした。

初期のローマ時代を代表する哲学者として、クラウディオス・プトレマイオスとヘロンとガレノスを挙げることができます。プトレマイオス(八三〜一六八)が著した『アルマゲスト』は天動説を大成させた書であり、その後の中世天文学において支配的役割を果たしました。その詳細は後述(四五ページ)します。

アレクサンドリアの数学者のヘロン(六二〜一五〇)は、三辺の長さから三角形の面積を求める公式の発案者です。また、光の反射に関する三法則を発見しました。このように純粋科学分野でのヘロンの研究は顕著なものですが、むしろそれらよりも、ヘロンの噴水、気体装置と呼ばれる

【図5】サイホンの原理を利用したヘロンの噴水

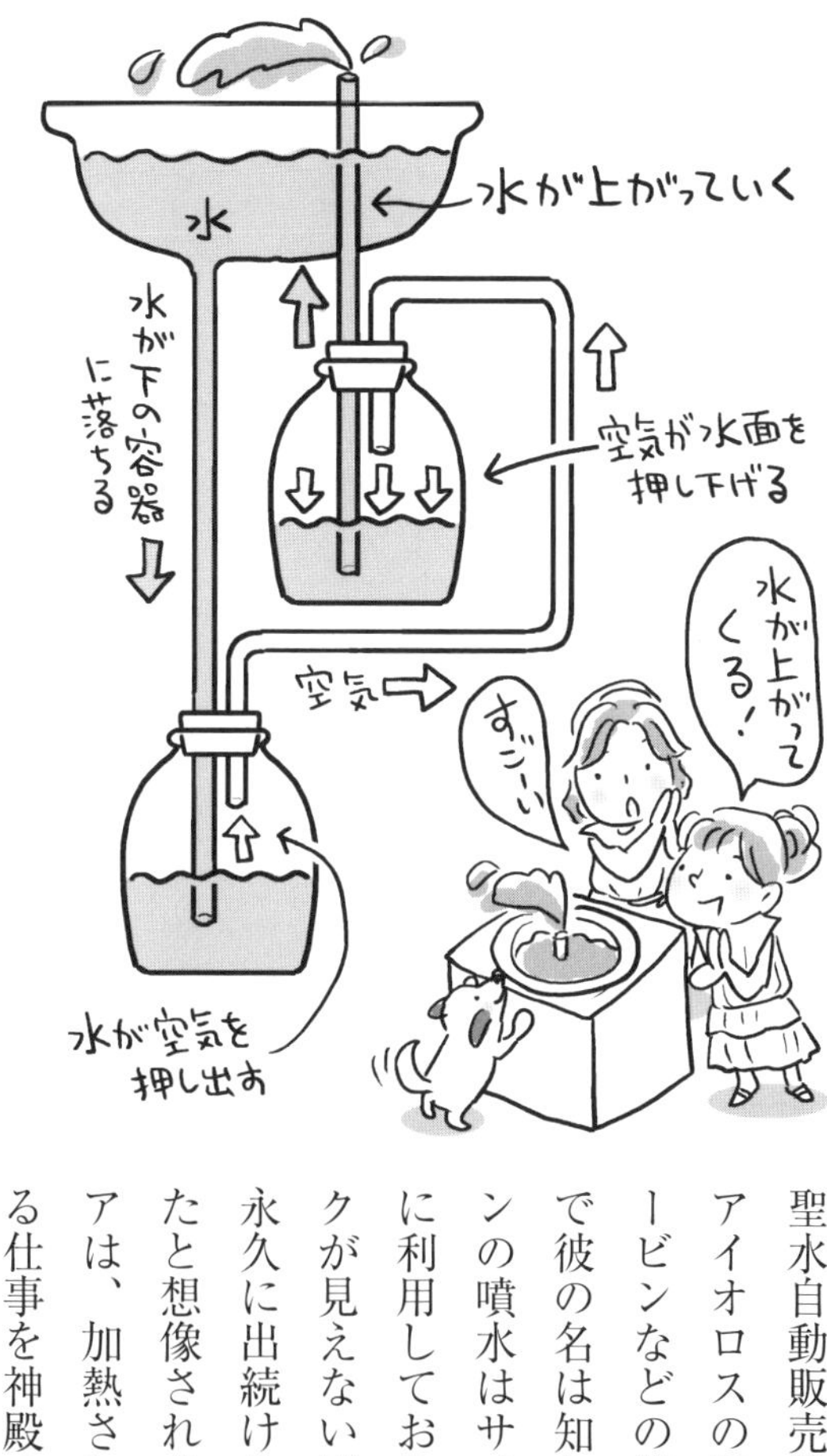

聖水自動販売機、神殿の自動ドア、アイオロスの球と呼ばれる蒸気タービンなどの装置を発明したことで彼の名は知られています。ヘロンの噴水はサイホンの原理を巧みに利用しており、机の下の水タンクが見えない周りの観衆は噴水が永久に出続けるような感覚に陥ったと想像されます。また、自動ドアは、加熱された空気の膨張による仕事を神殿の扉の回転運動に利用したもので、水蒸気を利用したアイオロスの球とともに熱機関の原型と見なすことができるでしょう。

❖ ガレノスの解剖学

トルコのペルガモンで生まれたガレノス（一二九〜一九九）は医学および解剖学、生理学を大成しました。ガレノスは人間の外科治療や動物の解剖結果から様々な教義や学説を残しています。

彼は、五〇〇年以上前のヒポクラテスが唱えた四体液説をさらに発展させました。四体液説とは、前述（二四ページ）のとおり、黄胆汁、血液、粘液、黒胆汁が人間の健康状態を左右する基本的な役割を果たしているというものです。ガレノスは、それぞれの体液に独自の属性を与え、病気のときには体液のバランスをとるという考えに基づいて治療を行いました。

ガレノスの学説のもう一つの特徴は、人の呼吸を「生命精気」と結びつけたことです。彼によれば、人間は呼吸して生命精気を肺に取り込み、それを心臓の左心室で血液に加えると考えました。生命精気を付加された血液は、続いて動脈を通して全身に行き渡るとしました。その際に、血液は動脈内で行きつ戻りつするだけで、静脈の血液とは切り離して考えられました。以上の生命精気の存在は、一八世紀にラボアジェが呼吸を酸素と結びつけるまで、医学界で信じ続けられたのです。

古代ローマでは人間の遺体の解剖は法律で厳しく禁じられていたため、解剖にはもっぱらサルやブタなどの動物を使っていました。従ってガレノスの教説には、血液が肝臓で作られること、血液循環を見落としていることなど多くの誤りがありましたが、それでも彼の医学書は一三〇〇年以上、絶対的な存在であり続けました。

ガレノスの解剖学の多くの部分が否定されたのは一六世紀になってからで、そのきっかけはレオナルド・ダ・ヴィンチとアンドレアス・ヴェサリウスがスケッチや解剖により人体の臓器の位置と構造を明らかにしたことによります（七〇ページ参照）。

第3章　古代の物理学、天文学、化学

1　古代の物理学

❖ アリストテレスの考えた物体の運動

アリストテレスの著書『自然学』によれば、彼は力を加えると運動が起こる、そして加える力が大きいと速度も速いと認識していました。そして、物体が運動を持続させるためには、力が働いて強制的に運動が続く必要があると考えていました。次に、彼は力を二種類に分けて、それらを区別して取り扱いました。ひとつは内在する力であり、もうひとつは外からの接触によって加わる力です。

こういった基本原理に基づいて、アリストテレスは落下運動と投げ上げ運動を、前者は「自然な運動」で後者は「強制的な運動」であると区別して、それぞれの駆動力が何なのかを以下のように説明しました。

まず、石や土の落下運動では、内在する力が働いて、落下速度はどんどんと速くなります。内在する力は重い物の方が大きいから、重い物ほど落ち方が速くなります。水中ではゆっくり落下するのは、水の密度が大きく落下運動に対して大きな抵抗が働くためと解釈しました。

❖ 媒質動力論は中世に入って否定された

一方、物体を手で横に投げたり投げ上げたりと強制的に力を与えた場合は、手から離れた後も飛んでいる物体が押しのけた空気が背後から物体を押し続けるので、しばらくは飛び続けるとアリストテレスは考えました。これを「媒質動力論」と言います。飛んでいるうちに次第に勢いを失うと、内在する力が勝って物体は下向きに落ち始めます。同様に、水平面上を転がる物体も、最初は動き続けるが、いつかは勢いを失って静止するのだと主張しました。

アリストテレスが媒質動力論を立てた背景には、彼が真空の存在を否定したことが関係するとされています。彼は、ストローの中の空気を吸って真空を作ろうとしても水が上がってきて空虚(真空)を埋めてしまうと考えました。そうだとすると、物体が空気を押しのけたことで後方に空虚(真空)ができるのを嫌って、前方の空気が素早く後方に移動して物体を突き動かすのだと信じたのは不思議ではありません。

アリストテレスの強制的な運動の理屈によれば、外部から物体に継続的に力が加わらない限りその物体の運動は続かない、ということになります。しかし、ニュートン力学の慣性系および慣性の法則を考えればアリストテレスの説が完全な間違いだったのは明らかでした。

空気は物体の運動を推進するものではなく、むしろ運動の抵抗になるのではと考えた哲学者は多く、中世初期のフィロポノスや一四紀のビュリダンによってアリストテレスの媒質動力論は何度となく批判されました（六七ページ参照）。

2 古代の天文学

〈1〉アリストテレスの宇宙観

❖五九の同心球の中心に地球

アリストテレスは、宇宙は一つで永久不滅と唱えました。そして、天体の運動と地上世界の運動とでは、全く異なる法則が成り立っていると彼は主張しました。すなわち、天上界は始めも終わりもない完全な姿を持ち永久的円運動をしているのに対して、地上界ではプラトンの四元素が上下直線運動をしているとしたのです。

アリストテレスによれば宇宙は五九の同心球からなります。宇宙の中心に地球が置かれ、五番目の同心球上を月が円運動しています。月より上の天上界は第五元素のアイテールで満ちていて、水星、金星、太陽、火星、木星、土星の順に公転半径は大きくなります。そして最も外側の第五九番目の恒星球上で、恒星が地球の周りを永遠に同じペースで公転していると考えました。

アリストテレスが説いた「地球中心」と「永久的な円運動」という宇宙観はキリスト教の教義や原理に合致したこともあいまって、古代から中世に渡って国王やキリスト教会を始めとして多

【図6】アリストテレスによる永久的円運動をする宇宙

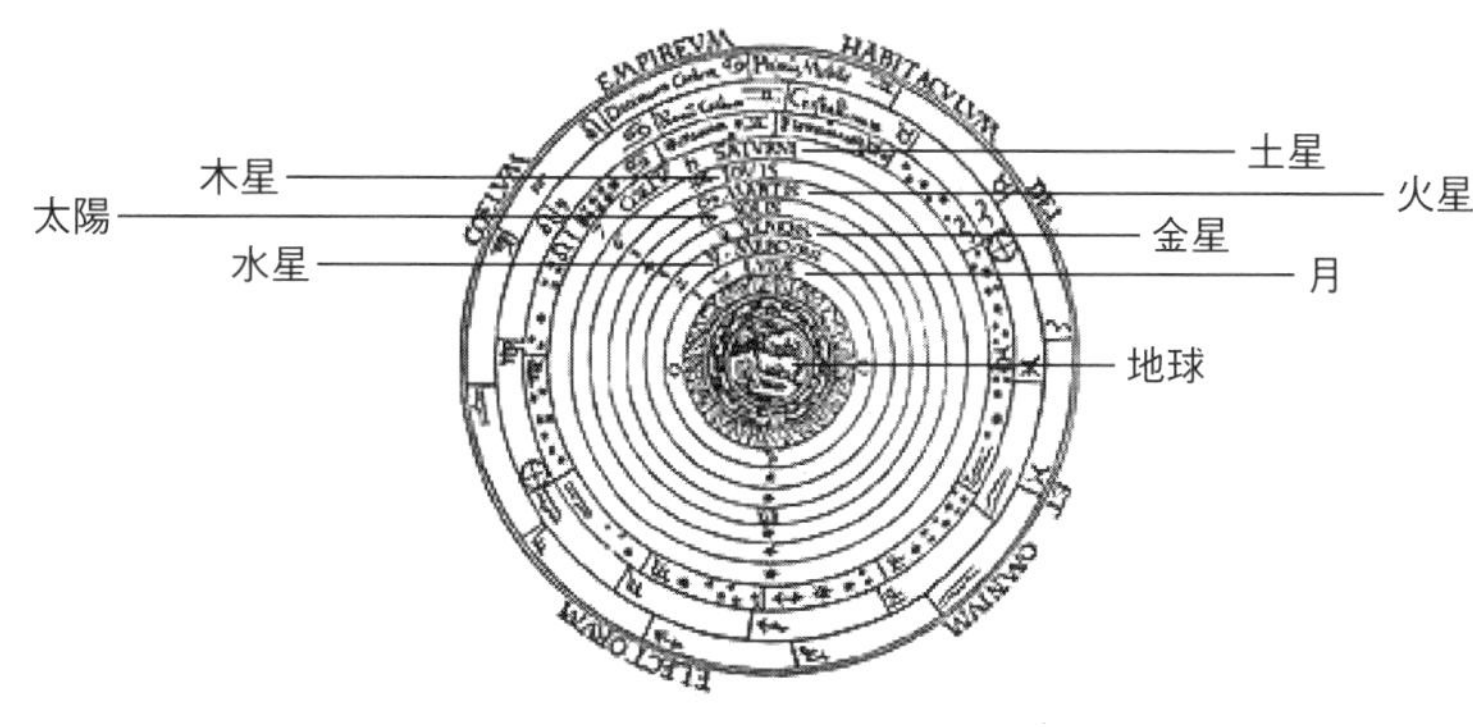

くの人々に広く認められ、大きな権威を持ち続けました。

〈2〉天動説の完成

❖ 周転円や離心円などを導入

アレクサンドリアで活動したアポロニウス（BC二六二〜BC一九〇）は、惑星の「留（りゅう）」および逆行の現象を、周転円（エピサイクル）と従円（デファレント）を導入することで説明しました。

通常、惑星は西から東に向かって動いていくように見えます。これを順行と呼びます。しかし、ときどき東から西に逆行することがあります。順行から逆行に変わるとき、または逆行から順行に変わるときが「留」になります。図7に示すとおり、彼の説によれば、それぞれの惑星はある点Aを中心とした小さな周回運動（その軌道が周転円）を行っており、さらに点Aは地球の周りを公転する大きな周回運動（その軌道が従円）を行っていることになります。

小アジアのロドス島に住むヒッパルコス（BC一九〇頃〜BC

【図7】アポロニウスとヒッパルコスが考えた天動説モデル

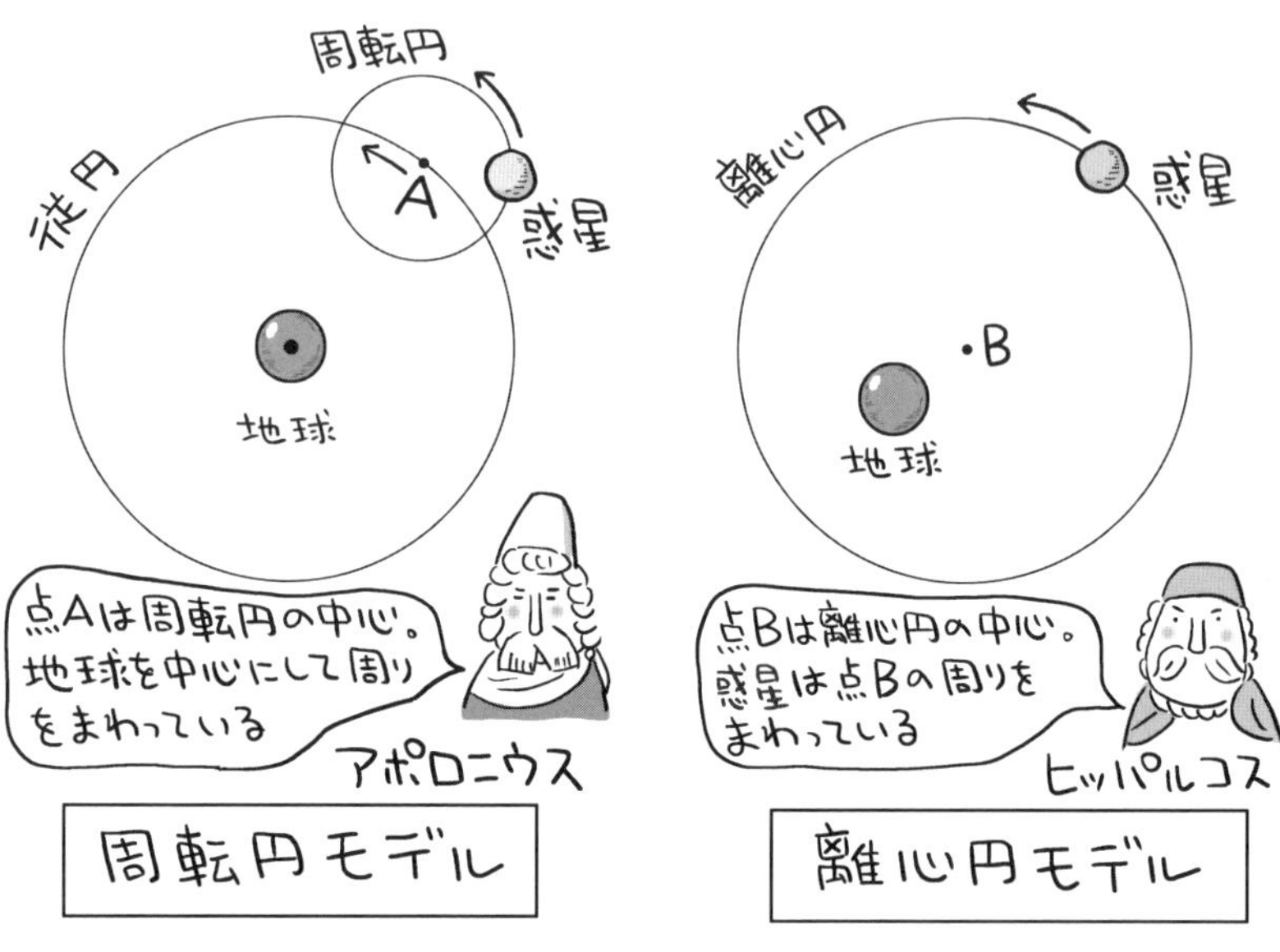

一二〇）も惑星の運動を考察し、従円の代わりに離心円という概念を導入しました。すなわち、地球の中心から少し離れている点Bを中心とする離心円上を惑星は周回運動すると主張しました。

また、ヒッパルコスは春分点の歳差現象を発見したり、太陽年を精度よく求めたりなど多くの足跡を残しました。歳差とは、地球の自転軸（地軸）が公転面に垂直な軸の周りをゆっくり回転していることから起こる現象です。これは、コマを回したときに、コマの心棒が傾いたまま、ゆっくりとその頭を回していく動きとよく似ています。地球という巨大なコマの地軸は、公転面に垂直な方向から二三・四度だけ傾いた状態で約二万六〇〇〇年かけて一周して元の位置に戻ってくるということです。ですから、たとえば今から一万二〇〇〇年後には、現在の北極星（こぐま座α星）はもはや北極を示す星ではなく、それに代わってヴェガ（こと座α星）、すなわち織姫星が北極星になるのです。

もうひとつ、ヒッパルコスは、一日を二四時間とすることを提唱した最初の人物であることがよく知られています。彼は、春分と秋分の日の時間を基礎にして、昼と夜をそれぞれ一二等分することで、季節が変わっても変化しない時間単位を決めたということになります。

❖プトレマイオスが惑星の動きを正確に予測

古代ローマ時代になるとプトレマイオス（八三頃〜一六八）が登場します（三六ページを参照）。彼が記した『へ・メギステ（数学の体系）』はアラビア語に翻訳される際に『アルマゲスト（偉大な本）』と名前が変わり、数学、物理学、天文学各分野の権威として古代末期から中世を通して約一四〇〇年間尊ばれました。

この本は数学的基礎に立った天文学の総括書ということができ、太陽が地球を回る天動説が集大成されています。

プトレマイオスはアポロニウスとヒッパルコスの天動説をさらに〝精密化〟して、複雑な計算をして惑星の動きを正しく予測しました。その際に、エカント（等化点）と呼ばれる角速度が一定の仮の中心を設定して円運動の軌道速度を変えるという操作を加えています。また、外惑星の周転円は太陽の動きに同期させてあり、内惑星の周転円の中心は太陽と地球を結ぶ線上に正確に乗

【図8】プトレマイオスにより天動説は完璧なものとなった

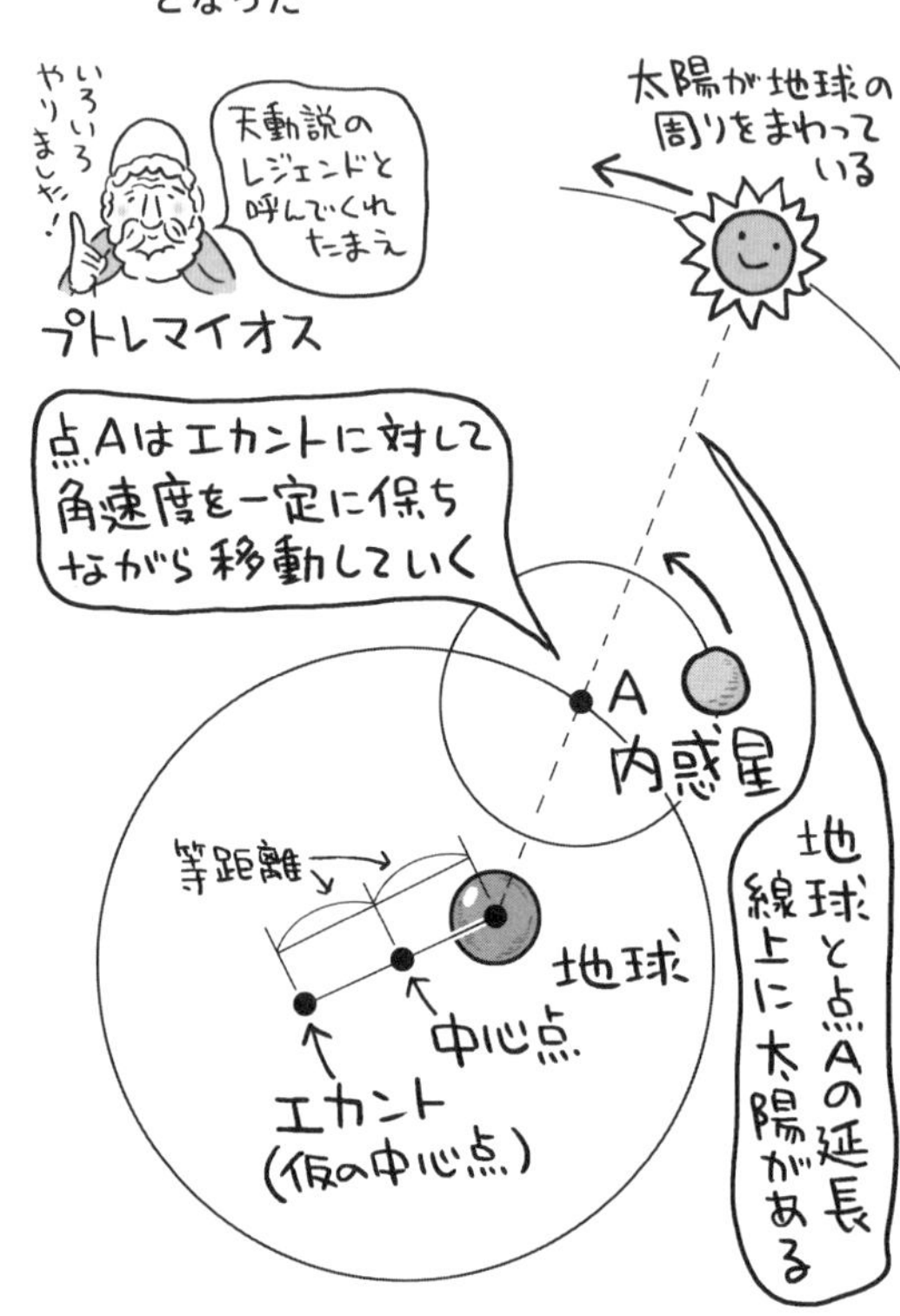

っているとしました。

プトレマイオスは地図製作の分野でも抜きん出た業績を上げたことが知られています。彼は球面を平面に投影する幾何学的方法を考案し、それに基づいて作成した世界地図には経度と緯度が記されていたそうです。

以上に述べてきたように、天文学に関して言えば、アテネ時代には思索中心の学問であったものが、ヘレニズムからローマ時代になって実験や実測に基づく科学的態度を重んじる学問へと変貌を遂げていたことがよく分かります。

〈3〉ギリシャ哲学における地動説

❖ アリスタルコスも天動説に逆らえず

天動説に対して、ヘレニズム時代のアリスタルコス（BC三一〇頃～BC二三〇）は太陽中心説を唱え、太陽の直径や地球から太陽までの距離を推定し、太陽系の大きさにまで発想を広げています。彼は太陽と恒星は静止しており、地球は自転しながら太陽の周りを円運動していると主張しました。そして、月と太陽の視直径すなわち見かけの直径は同じであり（実際に正しい）、地球の直径は月の直径の一七～三一倍（実際は約四倍）で、太陽の直径は月の直径の一八～二〇倍（実際は約四〇〇倍）と見積もりました。さらに、地球から太陽までの距離が月までの距離の一八～二〇倍（実際は四〇〇倍以上）であると計算しています。

アリスタルコスの学説は近代天文学から見て、定性的には完璧に近かったと言えます。それにもかかわらず、多くの人々には受け入れられなかったのはなぜだったのでしょうか。

それは、「もし地球が回っているのなら、どうして真上に投げ上げた物がそのまま落ちてくるのか？」や「もし地球が動いているのなら、どうして風を感じないのか？」等の単純な疑問に対して満足に回答できなかったからだと想像されます。

結局のところ、アリスタルコスはアリストテレスやプトレマイオスの天動説には逆らうことはできませんでした。まだ万有引力の概念が全くない時代だったので、これはしかたがなかったと言えるのではないでしょうか。

3 古代の化学

〈1〉窯業技術

❖ 古代エジプトの陶器からローマのガラスまで

新石器時代には、水を加えて練った粘土で作った土器が発明され、人類の生活が大きく変化しました。土器は乾燥と窯焼きで粘土成分に化学変化が起きて融着することでできます。着色には金属含有酸化物を用いていました。土器に加えて、より高温の焼成で作られる陶器が生まれたことで、人々は煮炊き、穀物貯蔵、発酵での酒造りなどができるようになりました。たとえば、古代エジプトのアスワン遺跡やメソポタミアのバビロン遺跡からはロクロを使った陶器が出土しています。

ローマ時代の博物学者の大プリニウスは、ガラスの起源は、ギリシャの都市国家が形成されるよりはるか前のメソポタミア時代まで遡ると述べています。紀元前二〇〇〇年以上前から、地中海貿易で活躍していたフェニキア人が海岸の砂浜でたき火をしていた際に、砂に含まれるケイ砂と船荷の炭酸ナトリウムが反応して非晶質の（結晶ではない）ガラスが生成したことに気付いたとされています。安定したガラスを作るには、さらに炭酸カルシウム（石灰）を混ぜる必要がありますが、この技術も、ローマ時代には既に確立されていました。

〈2〉冶金技術

❖ 銅から青銅さらに鉄へ

古代文明の遺跡の発掘により、冶金（やきん）技術が古代には発明されていたことが分かっています。紀元前四〇〇〇年頃、メソポタミアで銅精錬が発明されました。おそらく竈（かまど）の炭火で銅鉱石が還元されて金属銅に変化したのではないかと想像されています。

紀元前三〇〇〇年頃の遺跡からは、青銅器が出土されました。青銅は銅と錫の合金で、銅より硬く鋳造しやすいので道具作りに適していたのです。紀元前二四〇〇年頃にメソポタミアを統一したアッカド人たちは、銅や青銅による武器を鋳造する技術を持っていたことが分かっています。当時、冶金事業は国王の独占となり、その技術も生産過程もすべて秘密にされていました。

紀元前一八〇〇年頃に小アジア（今のトルコ東部）に勃興したヒッタイトは優れた鉄の冶金技術を持ち、チャリオットという馬が引く戦車を操り、高性能な鉄の弓矢を用いて、メソポタミアやエジプトに攻め入りました。

〈3〉錬金術の始まり

❖ 僧侶による錬金術

世界最古の化学書である『ライデンパピルス』や『ストックホルムパピルス』には、紀元前三世紀頃から一世紀までの古代エジプトで、僧侶階級によって卑金属から貴金属への変換という錬金術の方法が実践されていたと記録されています。

元素は火、空気、水、土、エーテルからなり、元素以外の物質はお互いに変換可能であるというアリストテレスの教えが古代の錬金術の基本原理となっていました。そして、卑金属の銅、鉄、鉛などを貴金属の金、銀などに変えるという目的に沿って、僧侶たちは寺院内で金箔かぶせ、メッキ、合金製造などの化学技術を駆使して神像や装飾品を製造していました。たとえば、銅に亜鉛をメッキしたり、合金である真鍮を作ったりする方法も考案されていました。彼らは自らの地位の保全、経済的安定、威厳誇示のために、これらの技術の秘密保持に努めました。

中国でも同様の錬金術が生まれましたが、主たる目的は不老長寿の薬を探し当てるというものでした。

錬金術には呪術的・魔術的な目的と世俗的な欲望が常に付いて回りました。そして、多くの錬金術師たちによって物質の転換を促進する物質、賢者の石を探し求める努力がなされました。この努力を重ねる過程で錬金術は神秘的な要素をさらに強めていきますが、一方では、多くの新しい物質が発見され、酸の製造法、鋼の精錬法、染色技術などが発明され、科学の発達に大きく貢献しました。さらに、錬金術の副産物として蒸留器や昇華器などの実験器具が発明されたことは特筆すべきことです。

❖ 僧侶の移動で錬金術はアラビア半島へ

四世紀になると、キリスト教が国教となったローマ帝国の支配下において、エジプト寺院は圧迫を受け、僧侶たちはササン朝ペルシャやシリアに逃れました。これにより錬金術はアラビア半島の人々に受け継がれていき、七世紀以降はイスラム帝国の中で広がっていきました。

さらに一二世紀になると、錬金術はイスラム諸国経由でヨーロッパに伝わり、『大著作』で知られるロジャー・ベーコンや、スイス人の医療化学者のパラケルススなどの登場へとつながっていきます（六六〜六八ページ参照）。

第4章 中世の自然科学、学術知識の伝播

1 中世自然科学の概要

❖ ギリシャ哲学はシリアからアラブの国々に伝播した

中世の時代区分は、西ローマ帝国が滅亡した四七六年から東ローマ帝国が滅亡する一四五三年までとされています。成立当初はキリスト教徒を迫害したローマ帝国も、信者の加速度的な増加に抵抗できずに、三二五年のニケーア宗教会議でコンスタンティヌス帝はキリスト教を公認し、さらに三九二年にはテオドシウス帝がローマ帝国の国教として認めることになりました。ただし古代キリスト教の教派の一つであったネストリウス派は、四三一年のエフェソス宗教会議で異端と認定され排斥されました。そのためネストリウス派はササン朝ペルシャが支配していたシリアに移り住み、布教活動を続けました。こういった人達の中には多くの哲学者や医師が含まれていました。

七世紀以降、イスラムの国家がアラビア半島を支配することになりますが、ネストリウス派の

人々によってギリシャの科学的遺産がイスラム社会に伝わっていきます。そして、八世紀から九世紀にかけては、様々な古代ギリシャ哲学に関する書籍が、ギリシャ語からアラビア語へと翻訳されていくのです。詳細は次の第2節で説明します。

❖キリスト教の影響でヨーロッパの自然科学が停滞

ヨーロッパではゲルマン民族の移動を契機にして四七六年に西ローマ帝国が滅んだ後、九世紀前半にカール大帝がイベリア半島やブリテン諸島などを除く西ヨーロッパの大部分を統一してフランク帝国を成立させました。その後フランク帝国は八七〇年のメルセン条約を経て現在のイタリア・ドイツ・フランスの原型となる三国に分割されました。

このような中世への移行過程で、キリスト教はヨーロッパの様々な地域で皇帝や国王の支援を受け、国家権力と結びつきました。そして、司教や教皇が社会生活や政治にまで口を挟むようになっていきました。これにより、たとえば天動説の立場にない新たな宇宙観を持った科学研究をすることは禁じられました。そのためヨーロッパでは何世紀にも渡って自然科学が停滞したのです。

また、中世前半の五～一〇世紀には、フランク帝国、神聖ローマ帝国、ゲルマン国家の多くの為政者たちは、優れた兵器と武力による広域での支配力の強化、および中世社会の構築にすべての力を注いでいました。国家を確立する過程では、哲学（自然科学）を啓蒙する必要性は低く、神学に比べれば自然科学は地位の低い観念的なものとして取り扱われました。このことも中世ヨーロッパで自然科学が停滞したことの大きな理由と考えられています。

❖ アリストテレスの受容とルネッサンス

一一世紀には教皇の権力がさらに高まって、一〇九五年からは十字軍活動が始まりました。一二世紀以降、十字軍遠征とイベリア半島でのレコンキスタ（再征服運動、六〇ページ参照）によって、古代ギリシャ哲学がイスラム圏からヨーロッパに流入してきました。ギリシャ哲学の中心となるアリストテレスの著作や学説が聖書の内容と大きく異なることを知ったキリスト教会は、一旦はアリストテレスの著作を禁書としました。しかし、スコラ哲学の神学者達はアリストテレスの学説を容認し、彼の天動説、運動学、生命発生論などがキリスト教と対立するものではなく、むしろその教義の根幹を支えるものと考えるようになりました。一二世紀後半になると、大学でもアリストテレスの学問を教えるようになってきました。

一四世紀に入ると都市と商業の発展および貨幣経済の浸透が進みます。封建制・荘園制が崩壊し、有力な国王の王権が伸長し、ローマ教皇権は次第に衰えていきました。それに伴ってイタリアから文芸復興運動（ルネッサンス）が広まり、人々の意識はキリスト教支配の世界観から解放されて、個人の世界観へと次第に変化していきました。ギリシャ哲学やヘレニズム文化の原典に遡り、人間の価値と可能性を認め、人間性を再興していくという精神運動を人文主義（ヒューマニズム）と呼びます。

2 アラビアの自然科学

〈1〉イスラム帝国の科学擁護

❖ アラブ人以外にも信仰の自由を認める

イスラム教の預言者ムハンマドが六三二年に亡くなると、イスラム教徒であるアラブ人はムハンマドの教えである人類共同体を目指して征服活動を開始しました。そして、六六一年にウマイヤ朝が、さらに七五〇年にアッバース朝がイスラム帝国を支配するようになりました。国家の指導者のカリフはアラブ人以外にも商業活動や政治活動を許し、有用な人材は民族を問わず積極的に登用しました。宗教の面では、ユダヤ教、キリスト教、ゾロアスター教等の異教徒であっても、布教活動をしない限りその信仰の自由と自治が認められました。そのうえ、イスラム教の啓典はコーランですが、旧約聖書も新約聖書も啓典の一つとしたのです。

❖ 科学者を厚遇し、学問を奨励

前節で述べたとおり、古代ギリシャ哲学やヘレニズム文化は、もともとアラビア半島にいたキ

リスト教徒を通してイスラム社会に伝播していきました。プラトン、アリストテレスと彼らの門人たちの業績、ガレノスの著書などはギリシャ語の学術書として残されていたので、それらはシリア語やアラビア語に翻訳されて写本され、イスラムの諸国で大切な古典書として保存・継承されました。

歴代のカリフは、文化的な平和国家を印象付けることで自らの権威を示すために巨大な図書館を建設しました。図書館には様々な文明の様々な学問に関する書籍が集められました。こういった恵まれた環境の下で、イスラム教徒たちは古代ギリシャ、古代インド、ヘレニズムの学問を学び、様々な研究を行うことができたのです。

アッバース朝第二代カリフのアル・マンスールは、科学者たちをバグダッドに集めて住居を与えました。第五代カリフのハールーン・アッラシードは、ギリシャ語の古典を集めよと指示しました。第七代カリフのアル・マムンは八二八年にバグダッドに知恵の館と呼ばれる翻訳所を建設し、書物や学者たちをそこに集めました。そこではアリストテレスとガレノスの著書以外にも、エウクレイデスの『原論』やプトレマイオスの『アルマゲスト』などもアラビア語に翻訳されました。そして様々な古代ギリシャの書物を通して、世界各地の医学・天文学・光学などが学ばれたのです。

〈2〉アラビアの天文学

❖ イスラム教に不可欠な天文学

イスラム諸国において、天文学は最も研究が進んだ分野でした。なぜなら、イスラム教では、一日五回の礼拝の時間を正確に知ったり、交易のための航路や陸路を確認したりする必要があり、天文学の知識が不可欠だったからです。また、断食のラマダンの季節を設定するにも天文学を利用しました。

八二九年、アル・マムンは知恵の館に天体観測所を建設しました。九世紀末になると、シリアのアル・バッターニ（八五九〜九二九）は、ヒッパルコスが開発した三角関数の法則に基づいて精密な天体観測を行ったことが分かっています。彼は太陽の運行経路である黄道の傾斜角二三・四度を決定し、歳差運動の量が六六年で一度である（一度動くのに六六年かかる）ことを算出しました（四四ページ参照）。

また、長期間の天体観測データをまとめた天文表も制作されました。ハキム天文表はファティマ朝の首都カイロでイブン・ユーヌスにより編纂されました。また、トレド天文表は、イベリア半島を支配した西ウマイヤ帝国のトレドで、一〇八〇年にアル・ザルカーリにより編纂されました。

アブ・バケルやアル・ベトラギウスは、ギリシャ哲学の天動説に導入されていた周転円について、「天体が幾何学的な点の周りをまわるのは不自然で、そこには何らかの物体があるべき」と否定し、物理的な点をまわるべきであると主張しました。アル・ビルニ（九七三〜一〇四八）は、著作の『マスウード宝典』の中で、地球の自転や当時の地動説について紹介しています。このように、中世のイスラム世界にはアリスタルコスに匹敵する天文学者が多数いたことが窺い知れます。

〈3〉アラビアの錬金術師と科学者

❖ 錬金術師が自然科学を探究

首都カイロでは、中世イスラム教国の最大の物理学者イブン・アル・ハイサム（九六五〜一〇三九）が光の性質などについて研究しました。彼はナイル川の灌漑事業をカリフに進言して失敗し、断罪されないよう正気を失ったふりをして小さな小屋に閉じ籠もって学問に集中しました。その隠遁生活の中で『光学の書』全七巻を著し、光の反射や屈折、焦点、視覚などについて論じています。また、目の水晶体や視神経の存在と役割についても深く洞察しました。

【図9】イブン・アル・ハイサムの『光学の書』――アルキメデスの凹面鏡でローマ軍に立ち向かうシラクサ市民

前述（五〇ページ）のとおり、古代エジプトから引き継がれた錬金術は物作りの側面が強く、アラビアでもアリストテレスの地上の四元素を基本とした物質変換の諸技術が発展していきました。

イスラムの錬金術師としては、八世紀のジャビール・イブン・ハイヤーン（七二一〜八一五、ラテン名はゲーベル）と一一世紀のイブン・スィーナ（九八〇〜一〇三七）が有名です。

現イラン領内で活動したイブン・スィーナはアヴィセンナとも呼ばれ、本業の医学では伝染病の概念を確立するなど、当時の最高の知識人でした。彼はイスラム医学を体系化し、人体解剖図なども残しています。彼が著した書『医学典範』は一二世紀以降のヨーロッパに大きな影響を与えました。イブン・スィーナは、千年も前に、人間の認識力、記憶力、理性は脳の働きによるものであると理解していました。彼は錬金術師というよりはむしろ正統派科学者として、観察と実験を通して自然科学の探求を行ったと言えます。

3 ヨーロッパへのイスラム文化の浸透

〈1〉レコンキスタと十字軍遠征

❖ アラビア文化がヨーロッパへ

前節で述べたとおり、イスラムの指導者たちは信仰においても学問に対しても寛容だったので、イスラム教国の支配下にあった周辺の国々やイスラム教国と交易活動していた国々では、キリスト教徒やユダヤ教徒の学者達がアラビア語を学び古代ギリシャ哲学書をアラビア語からラテン語に翻訳しました（一二世紀ルネッサンスともいう）。そういった翻訳活動は、とくにレコンキスタと十字軍によってさらに加速されることになります。

スペインとポルトガルがあるイベリア半島はヨーロッパの西方に位置しますが、八世紀以前はローマ人やゲルマン人が、八世紀以降はイスラム教徒が支配してきました。しかし、一一世紀末から四〇〇年近くかけて、キリスト教国がイスラム勢力を半島から追い出しました。これをキリスト教国側から見て、国土再征服運動（レコンキスタ）と呼びます。

一四九二年に最後のイスラム王朝がイベリア半島から追い出された後、キリスト教徒の司教た

【図10】レコンキスタと十字軍遠征――アラビアの文化や科学のヨーロッパへの流入

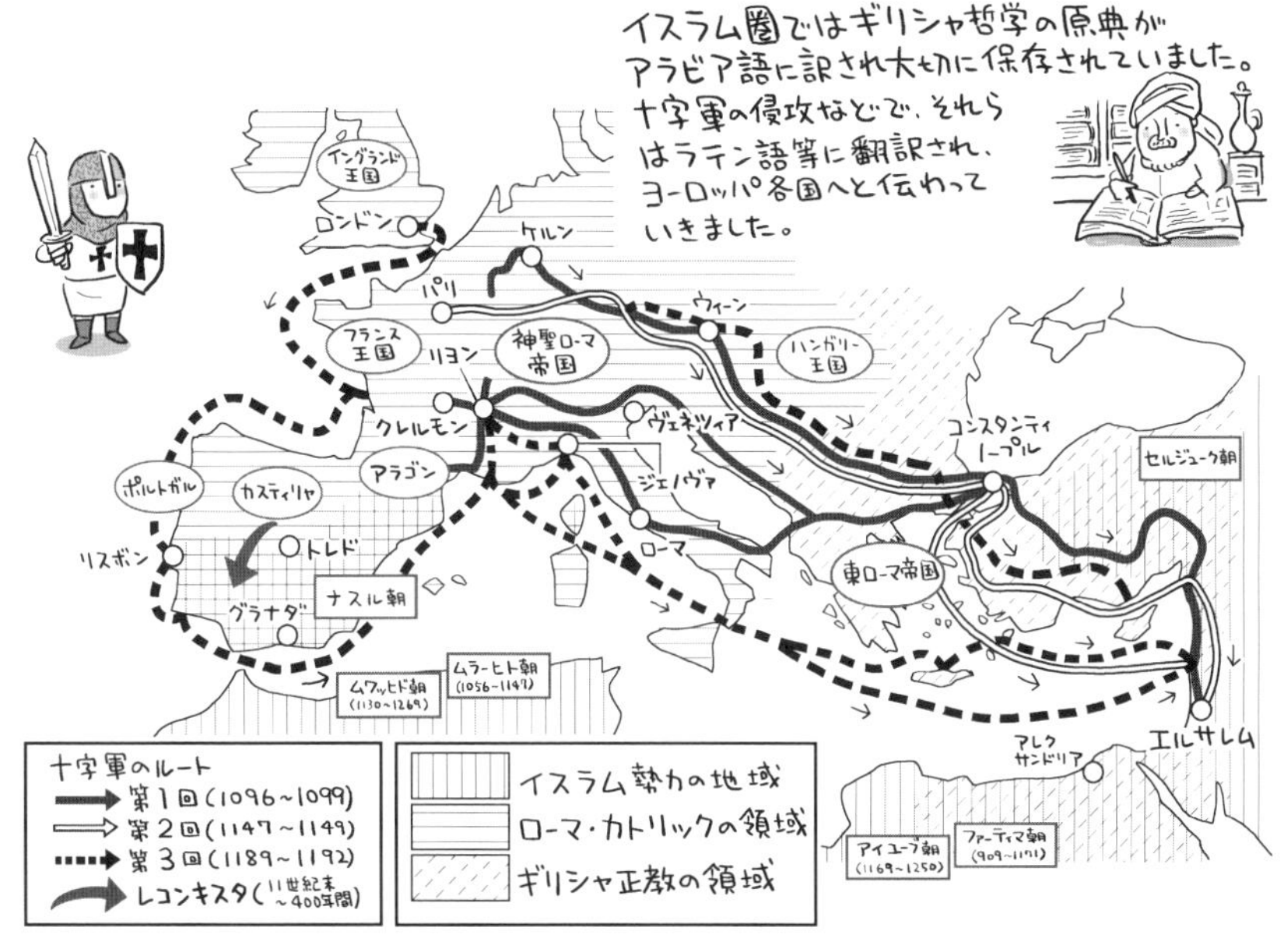

ちは住民にカトリックへの改宗を強要するだけでなく、奪回した町に大学を建設したり、残されたアラビア語の本を翻訳したりとアラビア文化の吸収を積極的に推進しました。トレドの大司教ライムンドもその一人です。

地中海東岸では、聖地奪回を目指した十字軍遠征が一〇九六年から開始されました。最初の頃は、エルサレムを奪取し十字軍国家を建設するなど所期の目標が達成されたこともありましたが、結局、西ヨーロッパ諸国もアラブ諸国も戦争に疲弊するだけの徒労に終わりました。しかし十字軍のおかげで、地中海交易は活性化され、一三世紀から一五世紀にかけてヴェネツィアなどのイタリアの商業都市は繁栄を極めました。こういった交流を経て、アラビア文化はヨーロッパに流入していきました。

以上のようにレコンキスタと十字軍遠征の影響により、ギリシャ哲学の原典はアラビア語からラテン語に翻訳され、さらにヨーロッパ各国の言葉に訳されていきました。こういった翻訳ブームの潮流はヨーロッパ全体へ広がっていきました。

〈2〉ヨーロッパの大学の設立

❖ 始まりは神学が中心

大学が生まれた元々の理由は、イベリア半島などでギリシャ哲学の原典をラテン語に翻訳するために必要とされたこと、アラブの国々から一二世紀に流入してきたアリストテレスの宇宙観が支配的になることを恐れたキリスト教会が、その対策として大学で教学や神学を広めようとしたことの二つでした。

大学には修道院が深く関与し、講義はラテン語で行われました。論理学、修辞学、文法、算術、幾何学、天文学、音楽の自由七科が教授され、さらに自然哲学、神学、医学、法律学などが教えられました。自由七科を修了した学生に対して、主要な学問と見なされていた神学と法学が教えられ、さらにいくつかの大学では医学も教授されました。

当時の大学では、学生が文章を書き写すといった座学よりも、むしろ長時間の議論、つまり現代のディベートに相当するものが盛んに行われました。その際には、真理を追究することよりも相手をどのように説得するかが主眼であり、参加した学生の論理的一貫性が重視されていました。

一一世紀から一二世紀に作られた大学にはボローニャ大学（世界最古の大学、一〇八八年設立）、パリ大学（一一五〇年設立）、オックスフォード大学（一一六七年設立）などがあります。フランスのモンペリエ大学（一二二〇年設立）、イタリアのサレルノ大学（一二三一年設立、前身の医学校は九世紀から存在）やパドヴァ大学などには医学部が存在しました。一一六〇年創立のパリ第四大学はパリ・ソルボンヌと呼ばれ、ロベール・ド・ソルボンが貧しい学生のために学寮を設立したことが起源です。パリ第六大学は「ピエールとマリー・キュリー大学」と呼ばれ理学、工学、医学の分野で秀でた人材を輩出してきました。二〇一八年には第四大学と統合され新しくソルボンヌ大学となっています。

〈3〉スコラ哲学の誕生

❖ キリスト教を理論的に解釈しようという学派

キリスト教の発展に伴って九世紀に誕生したスコラ哲学は、中世における神学と哲学を中心とする学問全般を包含し、キリスト教会の教義である神の啓示を合理的に説明することを目的としました。スコラとは英語のschool（学校）と同源であり、キリスト教を理論的に学ぶ場所を意味し

ます。スコラ哲学は教会や修道院付属の学校などで研究されました
その初期はアウグスティヌス（三五四～四三〇）らの教父の著書を解釈するものでしたが、一一世紀以降はギリシャ哲学を取り入れ、信仰と理性の調和と体系化を図りました。とくに一二世紀後半になると、イスラム教国から伝播したアリストテレスの学説を積極的に融合させて最大限に利用していきました。
そうは言っても、多くのスコラ哲学者は「神や普遍は事物に先立って存在する」という実在論（実念論ともいう）を強固に主張し、自然科学は神学によってのみ裏付けされるべきものであるとの立場を崩しませんでした。神や普遍は、実在する個々の事物から抽象した名に過ぎないという唯名論を唱える人々もいました。彼らは信仰よりも理性を重んじましたが、キリスト教会はそういった唯名論者を異端扱いしました。

❖ 信仰と理性の調和を図ったスコラ哲学

一三世紀に登場したイタリア人ドミニコ会修道士、トーマス・アクィナス（一二二五～一二七四）は中世最大の哲学者であり、カトリック哲学の発展に大きな影響を与えました。彼は穏やかな実在論者であり、信仰と理性は混然一体としており矛盾なく両立できるものと説きました。彼の主著の『神学大全』によれば、アリストテレスの天動説を土台に据え、神は宇宙の中心にある地球に存在し、神に仕えている教会が現世の支配者であると説明しています。聖書には神が宇宙

を創成したとの記載がありますが、アクィナスは聖書を字義通り解釈しなくてもよいと認めたことになります。ある意味で、自然科学者は独自に真理を追究しても構わないというお墨付きをトーマス・アクィナスが与えたと考えてよいのかもしれません。

このように、実在論は一旦勝利をおさめましたが、しばらくしてウィリアム・オッカム（一二八五～一三四九）などが信仰よりも理性を上に置くべきと主張したことからも分かるように、唯名論者たちは現実世界から神を切り離すことに力を注ぎました。

一四世紀にイタリアで始まった文芸復興運動（ルネッサンス）が高まるにつれて、この運動の原典重視主義と相反するスコラ哲学は次第に衰えていきました。実際には、実験と観察に専念してその成果を優先する科学者に対して、論理一辺倒のスコラ哲学者は無策に等しかったと言えます。

このようにして近代科学への幕が開かれていったのです。

4 中世後期の自然科学

〈1〉錬金術と医療化学

❖ 経験や実証を重んじる科学者達の登場

錬金術はイスラム教国を経由してヨーロッパに流入していきました。研究の中心となったのは修道院の僧やその付属学校の講師でした。

ドイツ人のアルベルッス・マグヌス（一二〇七〜一二八〇）はスコラ派の自然哲学者で万能博士と呼ばれ、動植物の観察やヒ素の発見でよく知られています。アルベルッスは、キリスト教が自然科学へ介入することに否定的な立場を取りました。

『大著作』全七巻の著者であるイギリスのロジャー・ベーコン（一二一四〜一二九四）はびっくり博士の異名を持ち、無人機械や火薬などを研究しました。火薬は一三世紀にモンゴル帝国からイスラム文化圏を経由してヨーロッパにもたらされたというのが定説で、硫黄と炭に酸化剤の硝石を加えた黒色火薬は大砲や銃などの火器に用いられ、戦争の形態を大きく変化させることになりました。

ベーコンは教会の神学的独断に反対していましたが、その報復措置としてイギリス修道会により一四年間も監禁されてしまいました。

❖ 重力下の運動論の展開

一三世紀の数学者で科学者であったヨルダヌス・デ・ネモラリウス（生没年不明）は、著作『重量について』の中で、傾きが異なる斜面上での紐で結ばれた二つの物体の釣り合いに関する議論、および重力に逆らった上向きの変位に関する仕事量などに関する議論を展開しています。

さらに、トマス・ブラドワディーン（一二九〇～一三四九）らのオックスフォード大学を中心としたマートン学派の人々、およびパリで活動したニコル・オレーム（一三二三～一三八二）らは、自由落下する物体の変位は時間の二乗に比例するという時間二乗則も既に知っていたと言われています。

パリのジャン・ビュリダン（一二九五～一三五八）は、物体の投げ上げ運動のような強制的運動の場合は、外から与えられた力が物体の内部に動力として入り込み、それが物体の運動を推進するのだと力説し、アリストテレスの媒質動力論（四〇ページ参照）を批判しました。

これらの数学者・物理学者たちは、思考実験に限られてはいましたが、一七世紀のガリレオ・ガリレイに先駆けて重力下の運動論を展開したとして、「ガリレオの先駆者達」と呼ばれています。

❖ 負傷兵の手当てから医学が進歩

錬金術の副産物で重要なものとして医療化学が挙げられます。十字軍遠征、百年戦争（一三三七〜一四五三）などのヨーロッパの内乱、ペスト等の伝染病の流行（一三四七年他）によって、病院の需要が高まり医療技術にも科学的手法が取り入られるようになってきました。特に百年戦争末期には火薬、大砲などの科学的兵器も登場し、一回の戦闘で多数の負傷兵が生じました。そういった者の手当てが必要となり、外科治療技術が大きく進化しました。

代表的な医療化学者兼錬金術師がスイスのパラケルスス（一四九三〜一五四一）です。臨床医師であるパラケルススは万病治療薬や不老不死の妙薬としての「賢者の石」を探し求めました。その努力は無駄に終わったものの、彼の研究によって、薬剤や化学療法による病気治療への道が次第に開けてきました。彼は民間に伝わる治療医術を収集し、そこから万物は水銀、硫黄、塩の三つの原質からなっているという三原質説を構築し、数々の科学的実験から金属塩などの新物質を抽出しました。

一六世紀半ばになると冶金技術が格段に進歩し、様々な金属の精錬・純度鑑定法もしくは鉱酸や金属塩など無機物質の製造法が確立しました。このように錬金術のおかげで多くの薬品が発見されたり創製されたりし、ビーカーやフラスコ等の実験器具も新たに発明されたのです。

〈2〉ルネッサンスと近代科学誕生前夜

❖ 中国の製紙技術が西方へ伝わっていった

時代はかなり前に戻りますが、七五一年にイスラム帝国のアッバース朝と中国の唐が現キルギス領のタラス河畔で戦いました。その際に中国の紙職人がイスラム軍に捕らえられました。その結果、一〇五年に蔡倫(さいりん)が発明してから六〇〇年以上もの間、中国から門外不出だった製紙技術がイスラム世界へと広まっていきました。

中国製の紙は植物繊維を水に分散させて絡み合わせて乾燥させたもので、パピルスに比べてはるかに使いやすく長期保管もできました。イスラム世界のサマルカンド、バクダッド、ダマスカス、カイロ、モロッコのフェズ等に製紙工場が造られ、一二世紀になると、製紙法は他のイスラムの技術とともにヨーロッパに伝わりました。一四世紀までの紙の供給拠点は主にイタリアでしたが、その後各地に製紙工場が生まれ一三九一年にはドイツのニュルンベルクにも建設されました。

❖ 印刷技術が起こした情報革命

一二世紀以降、大学教育などが始まると、人々の知的好奇心が増すにつれて書物への需要が急速に高まってきました。しかし木版で紙に刷るやり方では大量生産は困難でした。

そこで、一四三九年にドイツ人のグーテンベルクは活版印刷技術のアイデアに至り、一四五〇年にはマインツで印刷所の運営を開始しました。彼の活版印刷機では金属製の活字を組み合わせることでどんな文章も作れるし、ブドウ圧搾機を模した印刷プレス機を用いることで鮮明で均一な印刷が可能となりました。この革新的技術はヨーロッパ全土に広がり、一般市民が容易に書物を手にでき、知識が普及することになり、いわば情報革命が引き起こされました。これによって宗教改革や科学革命へとつながっていくことになるのです。

❖ 万能の天才と近代医学の創成

ルネッサンスは一五世紀に最盛期となり、レオナルド・ダ・ヴィンチ（一四五二～一五一九）のような万能の天才が登場しました。彼は著名な絵画や精細な人体解剖図、そして数々の発明を残しています。戦車や飛行機などを設計する、風力計を発明するなど技術や工学全般に足跡を残しました。このように一五～一六世紀にかけて、市民社会では学者と職人の交流が生まれ学術と技術が融合することで、近代科学の幕開けに向けた準備が整い始めたと言えます。

レオナルドの死後間もなく医学界に長らく君臨していたガレノスの教説（三八ページ参照）を否定するものが現れました。それがアンドレアス・ヴェサリウス（一五一四～一五六四）です。彼はパドヴァ大学教授になると死体の解剖に取り組んで人体の詳細な解剖図「ファブリカ」を一五四三年に発表し、ガレノスの教科書の大部分が誤りであると主張しました。この一五四三年はコペルニクスが『天球の回転について』を発表した年でもあり、近代科学にとっての記念すべき年となりました。

ヴェサリウスの実証的な解剖学をさらに推し進めたのが、一六〇〇年頃にパドヴァ大学にやってきたウィリアム・ハーヴィー（一五七八〜一六五七）でした。その当時、ちょうどガリレオ・ガリレイがパドヴァ大学で数学と物理学を教えていました。ハーヴィーは主著『動物の心臓ならびに血液の運動に関する解剖学的研究』（一六二八年）の中で、血液は心臓から動脈を通して全身に送られ、その後静脈を通して心臓に戻っているという血液循環論を展開し、新しい人体モデルを提唱しました。

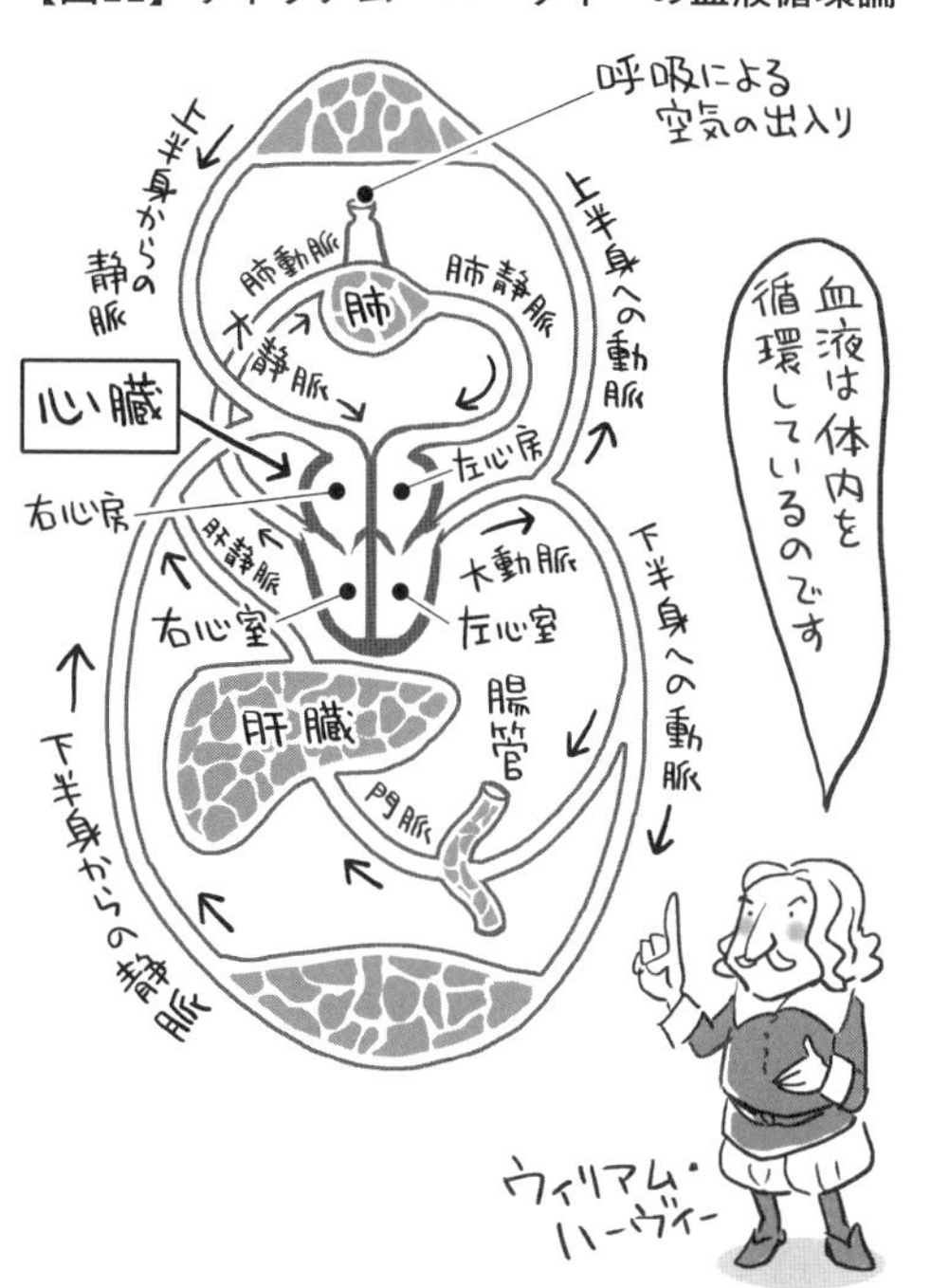

【図11】ウィリアム・ハーヴィーの血液循環論

第5章　近代科学の幕開け

本章以降に登場する主な科学者は、コペルニクスとティコ・ブラーエを除き、活動期間が一七世紀またはそれ以降となっています。すなわち、いわゆる科学革命に携わった当事者およびその後継者となる人々を取り上げています。

一七世紀科学革命を簡潔に言い表すとしたら、

(1)自然は何らかの法則に従う規則性を持っていることが発見され、

(2)その法則を実証するための手法や道具や自然観が新たに発明された

ということになります。

本章では、最初に天文学と物理学に焦点を当てて、科学革命がどのように進行したかを概観することにします。

1 天動説から地動説へ

〈1〉コペルニクスの地動説

❖ 一四〇〇年間信じられ続けたプトレマイオスの天動説

プラトンやアリストテレスらを始めとして多くの古代ギリシャ哲学者達が抱いていた地球中心、太陽運行という考えは、アポロニウスやヒッパルコスの周転円ならびに従円または離心円を用いた天動説を経て、二世紀のプトレマイオスのエカントの導入によって完璧と認められる形になりました（四二～四六ページ参照）。彼のやり方なら暦を正確に推算できましたし、惑星の不規則な動きを正しく再現することもできました。中世を通して人々の宇宙観はプトレマイオスの天動説でした。それは地上の観測者にとって自分の感覚に近くもあり、地球を中心に置くキリスト教の聖書の教えに適うものでもありました。

教皇権の全盛期が過ぎ絶対王政が形成され（一四世紀）、ルネッサンスが勃興し（一四、一五世紀）、宗教革命で混迷する（一六世紀）という時代背景の中、実験と観察に専念してその成果つまり実証的データを優先するという客観的態度を重んじる哲学者が次第に増えてきました。若きコペルニクスも、プトレマイオスのいうやり方で本当に宇宙は動いているのだろうかと疑問を持ったのに違いありません。彼の執着心によって、まずは天文学から、近代自然科学への幕が切って落とされたのです。

❖ キリスト教会の反発を避けるため序文が付け加えられた

ポーランド人のニコラウス・コペルニクス(一四七三〜一五四三)は、祖国のクラクフ大学に進んだ後ボローニャ大学に留学し、数学と天文学の学位を取得しました。ボローニャ大学では天文学者のノヴァーラ教授に師事しプトレマイオスの宇宙体系に修正が必要なことを知りました。その後、パドヴァ大学で医学の学位を、フェラーラ大学で教会法の学位を取得しました。おそらく一五〇〇年頃には古代ギリシャのアリスタルコスの地動説の文献に接する機会があったと想像されます。大学を出た後は、天体観測教会の参事会員として故郷近くのフラウエンボルク聖堂に住み込んで、昼間は本業の聖職と医療を務めるかたわら、夜間は聖堂の望星台で天体観測を行いました。

コペルニクスは、仮想的かつ作為的なエカント(四五ページ参照)を導入しなくても、太陽を中心にすることで、惑星の方角や距離をうまく説明できることを明らかにしました。

彼は、地動説に基づく自身の天体位置の予測が従来の天動説によるものよりは正確であることに自信を持っていましたが、ローマカトリック教会の教義に相反するものであることから、長い間、限られた友人以外には自説を公表しませんでした。

【図12】ニコラウス・コペルニクスの地動説による惑星運動の説明

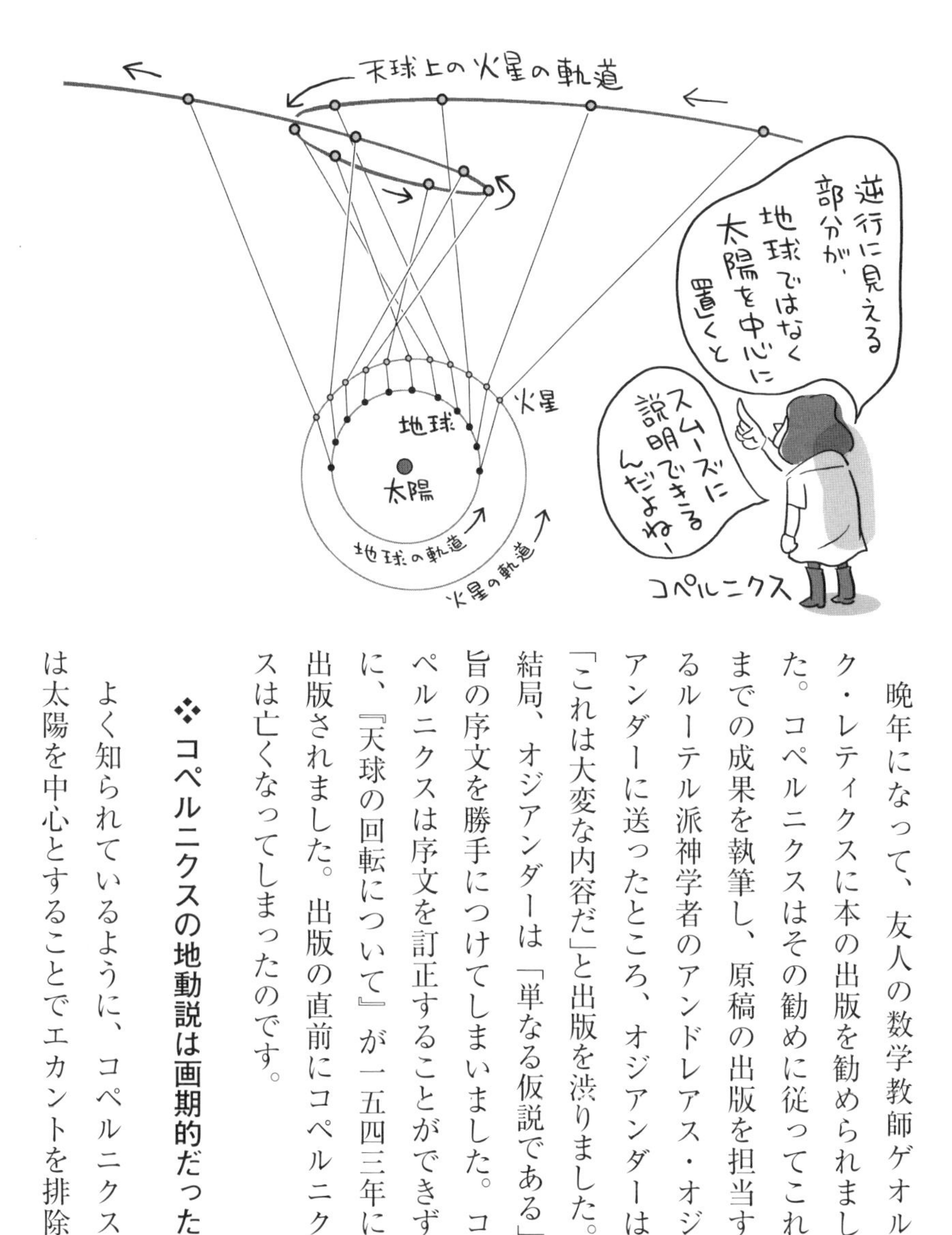

晩年になって、友人の数学教師ゲオルク・レティクスに本の出版を勧められました。コペルニクスはその勧めに従ってこれまでの成果を執筆し、原稿の出版を担当するルーテル派神学者のアンドレアス・オジアンダーに送ったところ、オジアンダーは「これは大変な内容だ」と出版を渋りました。結局、オジアンダーは「単なる仮説である」旨の序文を勝手につけてしまいました。コペルニクスは序文を訂正することができずに、『天球の回転について』が一五四三年に出版されました。出版の直前にコペルニクスは亡くなってしまったのです。

❖コペルニクスの地動説は画期的だった

よく知られているように、コペルニクスは太陽を中心とすることでエカントを排除できましたが、プトレマイオスの天動説に匹敵する惑星の運行精度を得るためには、やはり離心円と周転円の助けが依然として必要でした。なぜなら、惑星の公転軌道を本来の楕円ではなく、円であるとしたためです。

それでも、地動説は天動説とは違って離心円を中心とする周回運動が一定の速度（等速）であることを保証していましたし、それ以上に以下の三点において画期的でした。

①最大離角を説明できる
②太陽系における各惑星の軌道半径の相対値が完全に決定できる
③地球から恒星までの距離は、アリストテレスらの天動説で予想されていたよりもはるかに遠方になる

たとえば①について説明しましょう。地動説では、内惑星（地球より内側の惑星）に最大離角が存在することを合理的に理解できます。ここで、最大離角とは、ある惑星が地球と太陽を結ぶ線から測って最大どれだけ離れるか、その最大角度を意味します。プトレマイオスのモデルでは極めて不自然な仮定を設定しない限り、最大離角の存在を説明することはできないのです。

❖ ルターは地動説を非難しブルーノは支持した

『天球の回転について』は、活版印刷技術のおかげでヨーロッパじゅうに広まっていきました。当時のヨーロッパには宗教改革の争闘が広がっていましたが、ローマカトリック教会よりもむし

ろマルチン・ルター（一四八三〜一五四六）などの新教徒団体がコペルニクスの地動説への非難を強めていました。

一方、地動説に賛同しさらにそれを無限宇宙論にまで展開する科学者も次第に増えていきました。ドミニコ修道会士のジョルダノ・ブルーノ（一五四八〜一六〇〇）もコペルニクス説を支持しましたが、最後は火刑に処せられました。彼は航海中の船が動いていようがいまいが、マストの上から落とした物体は真下に落ちるという経験を引き合いに出して、コペルニクスの言うように地球が西から東に回転していても、垂直に投げ上げられた物体が元の場所よりも西側に落ちるということはないことを指摘したそうです。

〈2〉惑星運動に関するブラーエとケプラーの研究

❖ ブラーエの観測データをケプラーが受け継ぐ

一六世紀末、デンマークのティコ・ブラーエ（一五四六〜一六〇一）は一流の天文学者として、彗星の発見や火星の運行観測などの仕事で名声を確立していました。また、カシオペア座に突如現れた超新星を発見し、それに関する詳しい記録を残しました。この星はティコの星としてよく知られています。彼自身、公にはプトレマイオスの説を支持していましたが、天上界は永久的に円運動するというアリストテレス的な宇宙観は全く持ち合わせていませんでした。若い時に、巨大彗星や超新星を見た経験から、宇宙は常に変化しているということを強く印象付けられていたからです。

ブラーエは一五九七年に二二年間過ごしたフベーン島のウラニボリ天文台を離れプラハに赴き、神聖ローマ皇帝ルドルフ二世を新たなパトロンとして、ベナートキ城で天体観測を再開しました。ブラーエがそこで雇ったのが、ドイツ人の数学教師ヨハネス・ケプラー（一五七一～一六三〇）でした。

ケプラーは、チュービンゲン大学でメストリン教授から天文学を学び、プトレマイオスの天動説だけでなく、コペルニクスの地動説についても教えを受けていました。ケプラーは非常に高い数学的能力を持っていたと言われています。ブラーエは自分の未整理の観測データを処理させる目的でケプラーを雇用しましたが、ケプラー着任後一年半でティコ・ブラーエは急逝しました。そのおかげでケプラーはブラーエのすべての観測資料を受け継ぐことになり、コペルニクスの太陽中心説を基礎としてそれらの解析に取り掛かりました。

❖ ケプラーの三法則

ケプラーはティコ・ブラーエの精密な天体観測データをもとに、惑星の軌道と運行に関する研究に一〇年間没頭し、ついにケプラーの三つの法則の最初の二つを発見しました。

第一法則は、惑星が楕円軌道を描いて運行するという法則です。彼はこの法則を導く際に、火

【図13】惑星運動に関するヨハネス・ケプラーの三法則

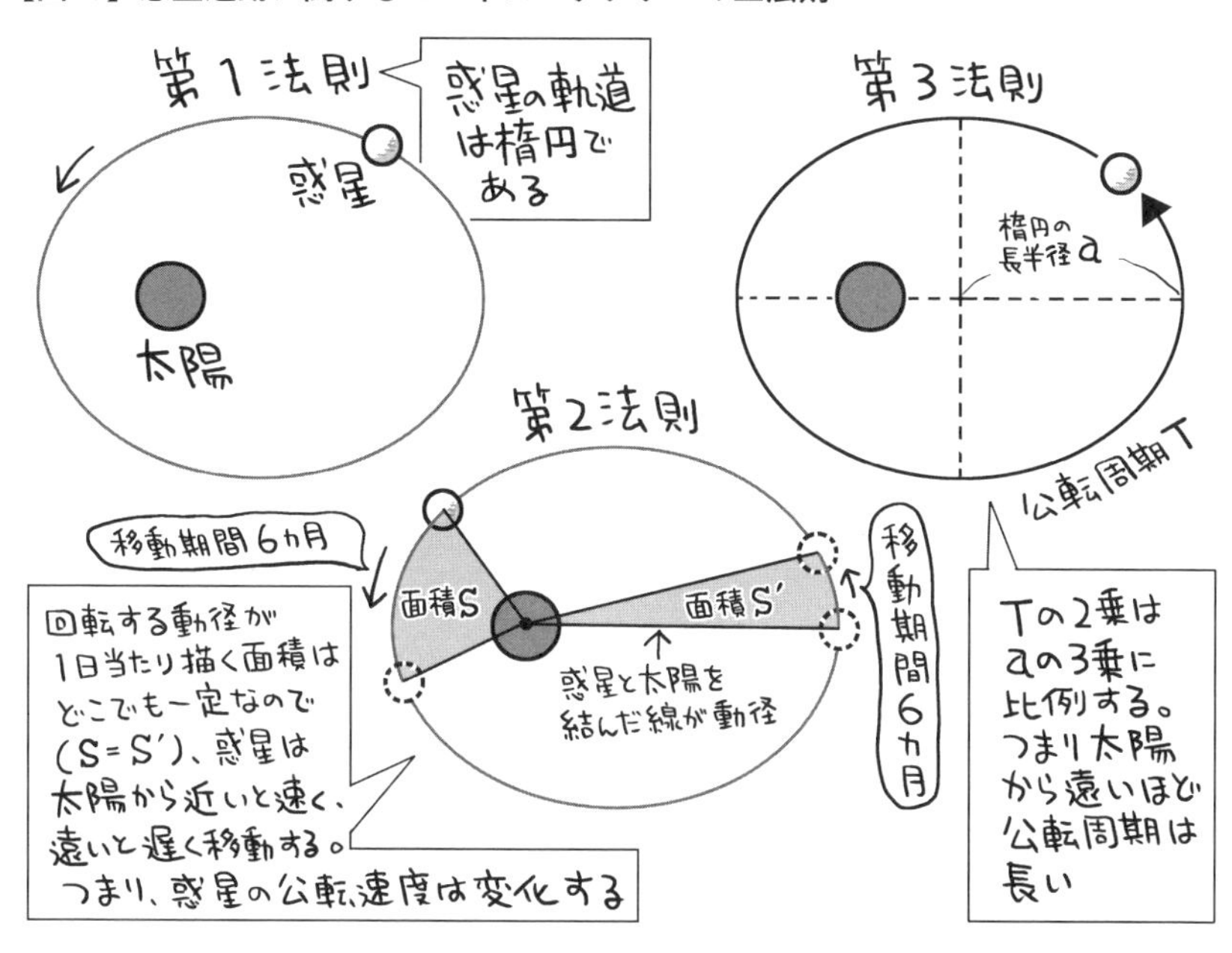

星の公転に対して円軌道を仮定するとどうしても微妙なずれが生じるので、円軌道の仮定を捨てて、観測データのみから軌道を決定する方法へと方針転換しました。これにより火星の公転軌道が楕円であることが明らかとなりました。

第二法則は、惑星の面積速度が一定であるという法則です。つまり、惑星と太陽を結ぶ線を動径と言い、この動径は等時間に等面積を描くように動くという法則です。この第二法則は、ニュートンが万有引力の法則を導き出すときの直接的な根拠を提供しました。また、ニュートン力学における角運動量保存則に相当するものでもあります。ここで、角運動量とは物体の回転の勢いを表すベクトル量になります。そして、角運動量保存則とは、その物体の運動方向と同じ方向に力が作用しない限り、その物体の角運動量の向きと大きさは保存されるという法則です。

以上の第一法則と第二法則の内容は、ケプラーの手で一六〇九年に刊行された『新天文学』に掲載されました。

最後の第三法則の導出にはさらに九年間を要しました。第三法則はそれぞれの惑星の公転周期の二乗は、太陽からその惑星までの軌道長半径の三乗に比例するという法則です。この法則は一六一九年にケプラーが著した『宇宙の調和』に初めて登場しています。

ケプラーは火星以外の惑星のデータも併せて、ルドルフ表というきわめて正確な「惑星の位置推算表および星座一覧表」を作成しました。ルドルフ表は当時流通していた他の天体運行表に比べて三〇倍以上の精度があったそうです。

2 古代ギリシャ哲学からの解放

〈1〉ガリレオの運動論における功績

❖ 実験によって落体の法則を導く

イタリア人のガリレオ・ガリレイ(一五六四～一六四二)はピサの小貴族の家系に生まれ、ピサ大学の医学部に入りましたが、そこを中退して同大学の数学教員を経て二八歳でパドヴァ大学の数学教授になりました。ピサ大学にいた当時から、シャンデリアの動きから振り子の等時性(振り子の周期は糸の長さと重力加速度のみで決まること)を発見するなど物体の運動の考察を続けていましたが、パドヴァ大学に移る頃から実験的方法を重視するようになってきました。

ガリレオは、空気抵抗や浮力がない限り、物体の落下速度や移動距離は落下物の重さとは無関係であることを実証しました。これは、自然落下において、内在する力および落下速度が物体の重さによって変化するというアリストテレスの教え(三九ページ参照)に異を唱えるものであり、そのせいでピサ大学を辞めざるを得なくなったと言われています。

さらにガリレオは、斜面運動と自由落下運動を実験によって詳しく調べ、落下距離が落下時間

【図14】ガリレオ・ガリレイによる斜面落下運動の研究

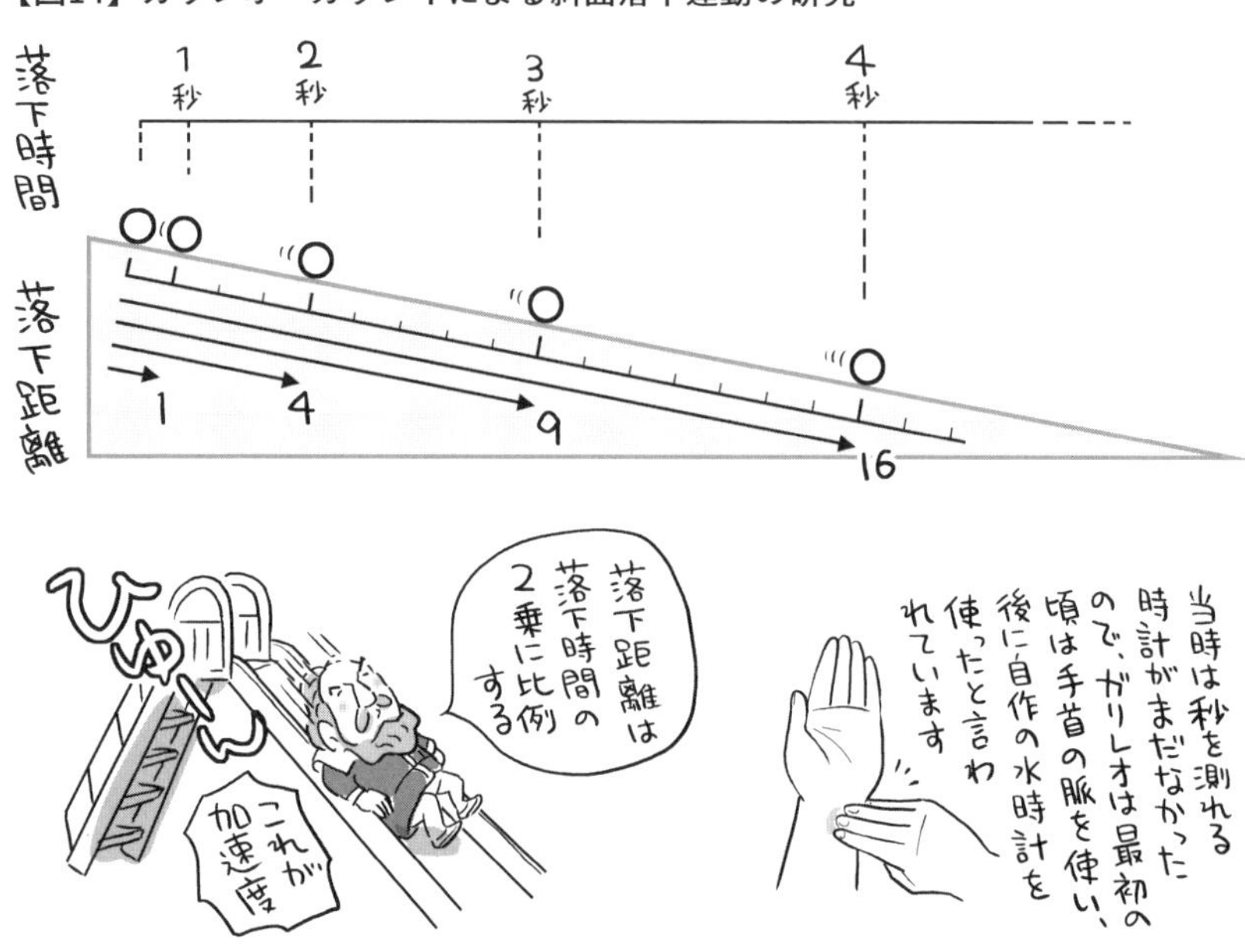

の二乗に比例するという関係式を導きました。また、速さが経過時間に比例して増加することも明らかにしました。こういった知見から加速度の概念が生まれ、物体の落下は等加速度運動であると結論しています。

また、慣性の法則の初期概念も発見しており、落体の法則と合わせることで、一六三八年に出版された『新科学対話』の中では大砲の弾の放物運動を数学的に定式化しています。ガリレオは、①慣性系では、力が働いていないか働いていてもその合力がゼロのとき、物体は静止しているか等速直線運動する[※a]、②ある慣性系に対して等速運動する座標系はすべて慣性系である、といった経験則も把握していました。彼の先駆的な研究に因んで、物理系をある慣性系から別の慣性系へ移す変換はガリレオ変換と呼ばれています。

〈2〉ガリレオの天文学における功績

❖ 望遠鏡を発明し地動説を支持

四五歳のガリレオは一六〇九年に自作の望遠鏡を製作し天体観測を始めました。彼は月面の凹凸を発見し、アリストテレスが説いた完全無欠の天上界の概念を覆しました。

一六一〇年には、木星の四つの衛星を発見し、地球のみならず木星も周回する天体を持っていることを明らかにしました。つまり地球と月の組み合わせが決して特別の存在ではないことになり、これも天動説に対する反証となりました。こういった観測事実から、ガリレオはコペルニクスやケプラーの地動説を支持するようになったのです。

彼は神の啓示よりも観察や実験を重視する態度を取ったため一六一六年の宗教裁判で有罪となり、一六三二年に『天文対話』を出版した後で、再びローマ教皇庁から有罪判決を受けて破門さ

※a　慣性系では、力が働いていないか働いてもその合力がゼロのとき、物体は静止しているか等速直線運動する　ニュートンの「運動の第一法則」と「運動の第二法則」が成立する系を慣性系と呼ぶ（九〇ページ）。この運動の第一法則はガリレオが把握していた「経験則①」そのものである。ここでいう「系」とは座標系という意味であり、物理学的な領域または物理学的世界と言い換えてもよい。なお、運動の第一法則や第二法則が成立しない系は非慣性系と呼ばれる。

れ邸宅に軟禁されました。ガリレオの破門は一九九二年にローマ教会で見直されるまで、三六〇年間解かれることはありませんでした。

〈3〉圧力や気圧の概念の誕生

❖ 実験室で真空を作る

ガリレオは流体学と真空に関しても重要な足跡を残しました。アリストテレスは「自然は真空を嫌う」とし、真空を作ろうとしてもいつでも物が引き込まれて真空を埋めてしまうと考えました。しかし、吸い上げポンプで水を汲み上げようとすると、約一〇mまでしか上げられないことから、ガリレオはアリストテレスの説に疑問を持ちました。

この問題はガリレオの死後、弟子のエバンジェリスタ・トリチェリ（一六〇八〜一六四七）に引き継がれました。彼は、吸い上げポンプで汲み上げられる高さに限界があるのは、井戸の水を押している空気がその高さの水柱までしか支えきれないからだと予測しました。

トリチェリは、実験室規模までスケールダウンさせてこの仮説を確かめようとして、水の一三・六倍の比重を持つ水銀を使うというアイデアを思いつきました。彼は長さ一mあまりの密閉管に水銀を先端まで入れ、それを水銀で満たした洗面器に逆さに浸けました。すると、水銀柱の高さが七六㎝まで下がって、その上部の空間が真空になることが分かりました。これから、水面にかかる大気の重さと水銀柱の重さが釣り合っていることが証明されました。

トリチェリやブレーズ・パスカル（一六二三〜一六六二）は、水銀柱の高さが場所や天候によって変化することも発見し、このことから圧力や気圧の概念が生まれ気象学の分野が開かれていったのです。

〈4〉デカルトの機械論的自然観

【図15】エバンジェリスタ・トリチェリの気圧と真空の実験

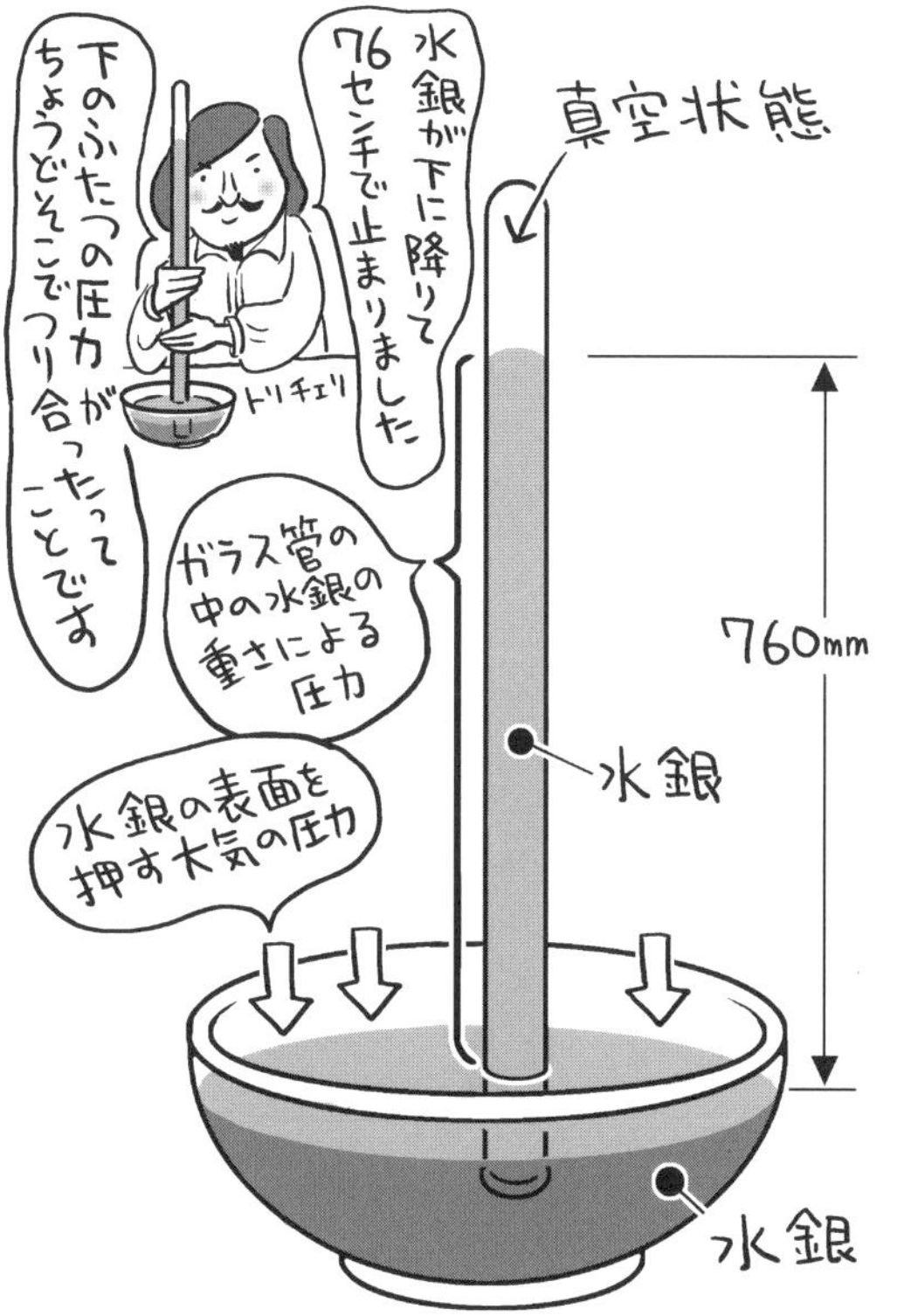

❖慣性の法則を一般化

ガリレオと同時代に活躍したフランスのルネ・デカルト（一五九六〜一六五〇）は、神学中心の中世スコラ哲学の自然観から機械論的自然観への脱却を訴え、数学こそ諸学の基礎であると説いて近代科学への思想的枠組みを準備しました。とくに自然科学に普遍

【図16】ルネ・デカルトの「方法序説」から、屈折光学の挿絵

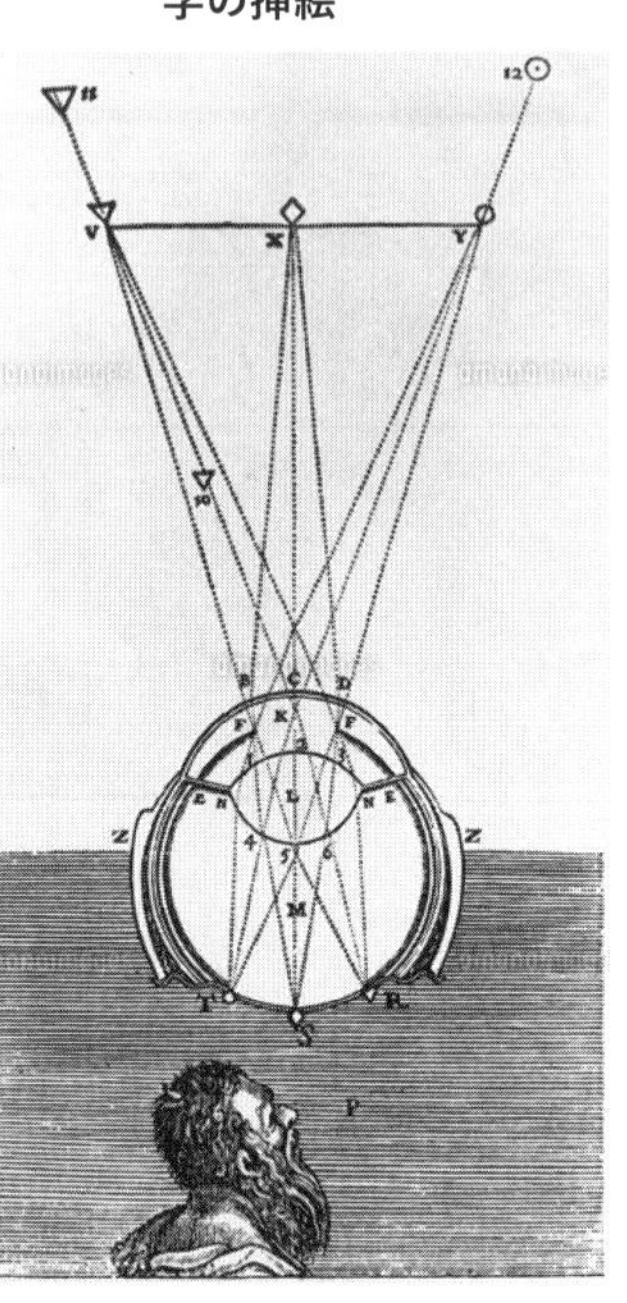

的に適応されうる概念装備を解析幾何学から得ました。中学、高校の授業で点の位置や図形の関係を表す方法として座標が使われますが、これは彼の発案であり、今でも直交座標系はデカルト座標と呼ばれています。

デカルトの重要な功績のひとつは、ガリレオが見出した水平面運動で成り立つ慣性の法則を一般化したことです。一六四四年に刊行された『哲学の原理』の中で、デカルトは、運動している物体は直線的に等速運動し続けると明言しています。また、光の屈折に関する「スネルの法則」を幾何学的手法で入射角と出射角との関係に焼き直したのもデカルトです。デカルトは人体も機械論的に理解できるとして、ハーヴィーの血液循環論に対して、独自の心臓機能論を展開しました。また、ガレノスの唱えた生命精気や動物精気についても、その本質を追究しようと血管や神経中の輸送形態について詳しく考察しています。

❖ 我思う、ゆえに我あり

その後、デカルトは人体に関する思考をめぐらし、人の意識と精神は脳にある松果体に宿って

おり、松果体から神経を経由して送られる動物精気と呼ばれる刺激物質によって筋肉は収縮・弛緩すると説明しました。視覚や聴覚も動物精気に起因すると考えていました。

デカルトの思索の道筋は、まず「明らかで間違いのないこと」を出発点として、それに論証を加えることで次々と命題を引き出して論理体系を組み上げるという演繹的なものでした。

この手法はニュートンの方法とは反対のものでした。一七世紀後半になってデカルトの機械論的自然観は次第にニュートンの力学的自然観に凌駕されていくことになります。

デカルトは、疑わしいものは排除して、人間の理性によって思考を進めることを第一義としました。その彼にとって疑い得ぬ真理だと確信できることは、知識を得ようとして「考える」という行為を自分が行っていることでした。自らが存在しているのは、自らがそうしたことを考えているからである。これが有名な「我思う、ゆえに我あり」という主張の中に込められています。

3　ニュートンによる科学革命

〈1〉距離の逆二乗の力の発見——万有引力の法則

イギリス人のアイザック・ニュートン（一六四三〜一七二七）は一七世紀科学革命の最大の立役者の一人です。彼は惑星や地球の動きを司る法則と、地上の物体の運動を支配する法則が同じであることを見抜き、万有引力の法則を発見しました。彼はそれ以外にも、微分積分法（流率法）の開発や光のスペクトルの分析などにも取り組み、その後の物理学に変革をもたらす先進的な成果をあげました。四五歳の時に刊行された『自然哲学の数学的諸原理』は別名『プリンキピア』と呼ばれ、その中で万有引力の法則などが証明されています。そこでは、自然界の個々の現象に関する諸法則を統一する原理が示されているのです。

❖ 運動法則の統一を目指したニュートン

ニュートンが万有引力の法則、すなわち距離の逆二乗に力が比例するという法則を見出したのは、二〇代前半にロンドンのペストの流行のためケンブリッジ大学から一八カ月間、生家に帰省していたときでした。

このときのニュートンは、ケプラーが発見した天体運動の法則とガリレオが作り上げた地上の自由落下運動の法則を比較して、「天上界では地上界と全く異なる運動法則が成り立つ」というアリストテレスの宇宙観が依然として正しいように見える点に少なからず疑問を抱いたのでしょう。

そして、ガリレオが晩年に取り扱った「大砲の弾の放物運動」を惑星や衛星にも適用することを試みました。その過程で、たとえば月は地球に引かれて常に落下しながらも、水平方向の初速度が十分に大きいなら地球の周りを公転し続けるのではないかという発想がニュートンに生まれたことは想像に難くありません。

❖ 万有引力の法則はケプラーの三法則から導かれた

一六六五年頃にニュートンは、ケプラーの惑星運動の三法則（七八ページ参照）、ガリレオの等加速度運動の関係式（八二ページ〜参照）、慣性の法則、力が質量と加速度の積に等しいという運動の法則、および作用反作用の法則をすべて利用し、さらに幾何学を駆使することで、万有引力が距離の逆二乗に比例するということを明らかにしました。そのうちの後半の三つの法則は、まとめて、ニ

【図17】アイザック・ニュートンの『プリンキピア』から、ボールの落下を説明する図

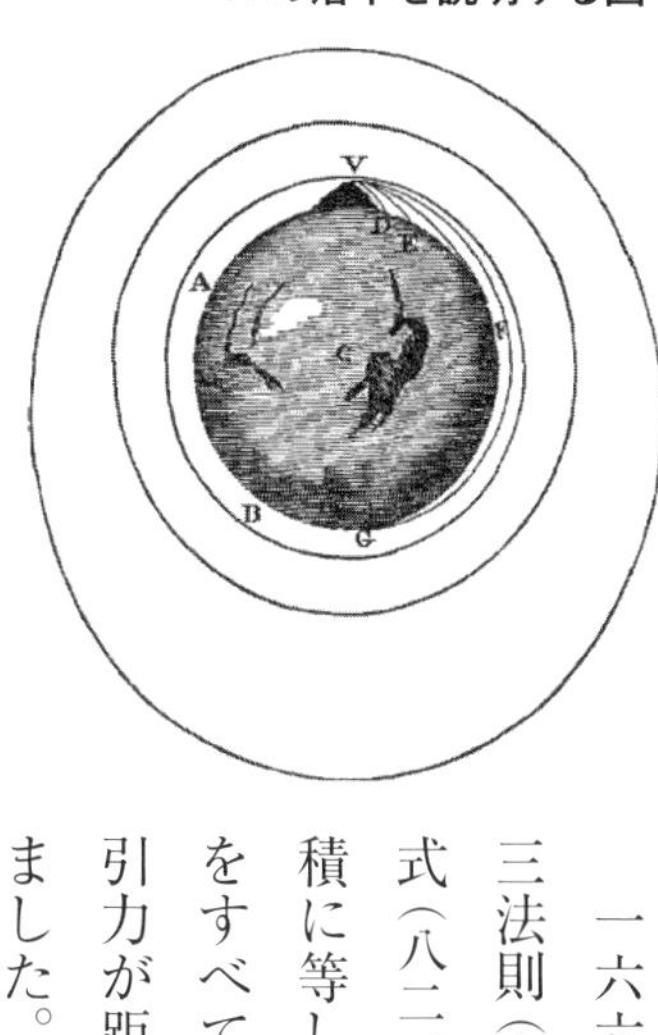

ュートンの運動の三法則と呼ばれています。すなわち、慣性の法則が運動の第一法則、力が質量と加速度の積に等しいという法則が運動の第二法則、作用反作用の法則が運動の第三法則ということになります。

その後、ケンブリッジ大学教授となったニュートン本人が、自分の中では万有引力の問題は解決済みと見なし、二〇年間は何も発表しませんでした。

❖ 万有引力発表のきっかけ

万有引力の法則が世に出たのは時代の要請ではありましたが、直接の発端となったのは三人の科学者のちょっとした議論がきっかけでした。一六八四年に、ロンドンでエドモンド・ハレー、ロバート・フック、クリストファー・レンの三人が惑星の公転運動の要因を議論し、距離の逆二乗の力で説明できるかどうかについて賭けを行いました。三人の代表者のハレーが、光学分野の研究などで既に有名になっていたニュートンに面会に行き、彼の意見を聞きに行ったところ、ニュートンはその問題は既に解いたと答えたのです。

それを聞いたハレーは、多くの研究者のためにもそれを発表すべきだとニュートンを説得し、その結果一六八七年に三冊の本として刊行されました。ニュートンは『プリンキピア』をロンドン王立協会に提出しましたが、当時は協会が資金難に陥っており、刊行費用の一部はハレーが負担しました。これが、『プリンキピア』が出版された経緯と言われています。

〈2〉ニュートン力学が与えた影響

❖ 運動の問題を解くための微分積分法

『プリンキピア』の中では、惑星の公転運動を引き起こす力は万有引力であり、複雑な理論計算を駆使して、逆二乗の式から惑星の軌道が楕円であるというケプラーの第一法則を導き出しています。その難しい数学的課題を解くためにニュートンは微分積分を創始しました。ただし実際に数式が出てくる箇所はわずかで、『プリンキピア』のほとんどのページの数学的証明は、幾何学でなされています。

さらに、逆二乗の力が地上の物体にも作用することを示し、ガリレオの自由落下や斜面上の運動にも万有引力の法則が適用できることを明らかにしました。

このように、ニュートンは先人たちが発見した多くの成果をまとめ上げて、彼の法則が自然界のあらゆるものに普遍的かつ統一的に成り立っていることを数学的に実証しました。当時のほとんどの人達は天上界の動きは神の領域だと信じていた訳ですから、ニュートンが『プリンキピア』三冊でそれを覆したことは驚きに値します。人類の科学の歴史を通してほとんど類例がなかったことはもちろん、文明史上においても後世に与えた影響力は絶大であったと言えます。

❖ 地動説のその後

『プリンキピア』の出版に貢献したハレーは、一六八二年に自分が観測した彗星に対して、木星や土星の影響まで考慮して軌道計算を行い、一七〇五年の著書の中でその周期を予言しました。彼の予想通りこの彗星は一七五八年に地球に回帰しており、このことも地動説とニュートン力学が多くの人に認められるきっかけとなりました。

コペルニクスとケプラーによる惑星運行の研究、ガリレオによる望遠鏡観測、およびニュートンの運動方程式によって地動説は多くの人々に信じられるようになりましたが、最終的な証明は、一七二八年のジェームズ・ブラッドリー（一六九三〜一七六二）による年周光行差の発見および一八三八年のフリードリッヒ・ベッセル（一七八四〜一八四六）による年周視差の観測によってなされました。

これらの差が生まれる理由は、太陽を中心に楕円運動（公転）している地球から遠方の星を観測したとき、見かけの星の位置が本来の位置からわずかにずれて見えるからです。楕円軌道に沿って移動した結果、地球から見た星の位置は、太陽から見た本来の星の位置と比べてわずかなずれを生じます。その変化分が最大となる半年後のずれを年周視差と呼びます。一方、星から届く光のスピードに対して、地球の公転スピードが完全には無視できないという理由からも、見かけの星の位置は本来の位置からわずかにずれてきます。このずれは一年周期で正弦関数に従って変化するので、ずれの絶対値は一年のどこかで最大となり、そこから半年後にもまた最大となります。そういったずれを年周光行差と呼びます。

❖ ニュートン力学は決定論的性格を持つ

万有引力の発見はニュートン一人に帰属しますが、微分積分法の創始はニュートンとドイツ人のゴットフリート・ライプニッツ（一六四六～一七一六）の二人に先取性があるとされています。ライプニッツはニュートンと同時期に微分法と積分法を着想して、それぞれ一六八四年と一六八六年の論文で発表しました。

一方のニュートンは、『プリンキピア』の中では、あまり詳しくは言及せずに、その後一七〇四年の著書『光学』の中で、独自の微分積分法について詳しく記述しています。

ニュートン力学では、物体を質量だけ持つ点として抽象化し、ある瞬間にその質点に作用する力を用いて微分表現の運動方程式を立てます。有限の時間が経過した後の質点の位置と運動状態は、積分によって計算されます。初期条件として積分定数が与えられればすべての時刻における運動が決定されることになります。このように、あらゆる出来事には必ず原因があり、しかも同じ原因は同じ結果を生むという意味で、ニュートン力学はしばしば決定論的な因果性を持っていると言われます。

❖ 粒子論的自然観の誕生

ニュートンは、どんな物体でも細かく分けていけば粒子に到達する、したがってすべての自然現象を粒子間の遠隔相互作用によって取り扱うことができるに違いないと考えました。これを粒子論的自然観と言います。もしくは、粒子同士が及ぼし合う力ですべての問題が解決できるという観点から、力学的自然観と言い換えることもできます。ニュートンが生み出したこの自然観は一七世紀から一九世紀中盤まで物理学、天文学はもちろん、他の分野にまで支配的な影響を及ぼしました。

第6章　物質科学の発展と近代化学

1　近代実験化学の芽生えと物質の燃焼

〈1〉ボイルとフック

❖ ボイルの化学観

アイルランド人のロバート・ボイル（一六二七〜一六九一）は「化学の父」または「化学の開祖」と呼ばれています。ボイルは、後述のフックと共に空気の弾性に関する「ボイルの法則」を発見したり、新しい元素観を唱えたりなど多くの事績を残しました。

ボイルは、アリストテレスの五元素やパラケルススの三原質（六八ページ参照）よりもはるかに多い種類の元素がこの世界には存在するはずで、さもなければ当時発見されていた物質とそれらの性質を理解できないと主張しました。

また、彼は物の燃焼や動物の呼吸に関する基本的実験も行いました。金属が燃焼するとその重量が増加すること、密閉容器の中には目に見えない微粒子つまり原子が存在し燃焼や呼吸に関わっていることなどを把握していました。つまり、ポンプで容器中の微粒子を排気すると真空状態となって物が燃えなくなること、前もって容器内に小動物を入れておくと小動物は窒息状態になることを知っていたのです。

このようにボイルは、生理学的現象である呼吸が物の燃焼と何らかの関連性があることを、実証的に示唆した最初の科学者と言えます。ただし、当時は、ガレノスの言う生命精気は硝石性物質であると信じられており（三八ページ）、呼吸と燃焼のどちらにも空気中の酸素が必要であることが明らかになるのは、約一〇〇年後に登場するラボアジェを待たなければなりません。

一六六一年にボイルは著書『懐疑の化学者』（The Sceptical Chymist）を匿名で発表したところ、大評判となりました。この中で、化学は独立した自然科学の一分野として、宇宙の神秘を解き明かし、真理を追い求めなければならないと宣言しています。また、化学を独立した学問まで高めるためには、古来伝統の瞑想的方法は捨て去って、厳正な実験事実に立脚して研究を進めるべきであるともアピールしています。

❖ ボイルは学会を最初に創始した

ボイルは研究者が集まって集団を組織し、それが国によって公認されれば多くの利点があると考えました。彼は学術団体の設立に尽力し、当時のイングランド国王のチャールズ二世に申請した結果、一六六二年にロンドン王立協会の設立が承認されました。その際にフックは事務局長を務めました。一八世紀になると、一般の人に向けて演示実験（講師が聴衆の前で行う実験）や講義をすることで協会の研究成果を発信しました。ロンドン王立協会は現在まで続いており、ニュートン、ウィリアム・トムソン、J.J.トムソン、アーネスト・ラザフォードなどの著名な科学者が会長を歴任しています。

ほぼ同じ頃、フランスでも同様の団体であるフランス王立科学アカデミーがルイ一四世に公認されました。こちらは、フランス学士院のアカデミーのひとつとして現在も存続しています。

❖ 顕微鏡で細胞を発見

ロバート・フック（一六三五～一七〇三）はボイルの共同研究者としてキャリアを開始しました。非常に手先が器用だったため、精密な装置を組み立ててロンドン王立協会で公開実験する機会が多くありました。また、フックはバネの伸びが加えた力に比例するというフックの法則を発見しました。

フックは、対物レンズと接眼レンズを組み合わせた顕微鏡を自作して、コルクの薄片を観察し、細胞を発見したことでも知られています。顕微鏡にまつわる話題とし

【図18】アントニ・ファン・レーウェンフックが作った高倍率顕微鏡

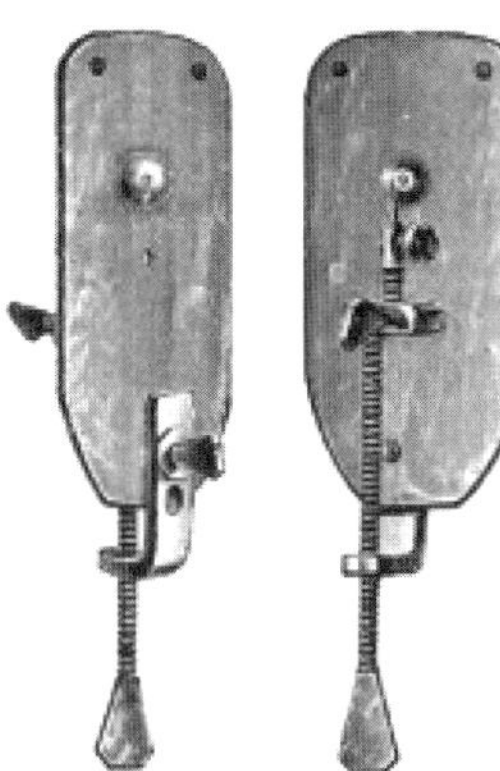

て、同じくロンドン王立協会の会員であるアントニ・ファン・レーウェンフック（一六三二～一七二三）は、単レンズ顕微鏡を製作し二〇〇倍以上の倍率を達成しました。顕微鏡を用いた細胞観察技術は約二〇〇年後に人体の理解と感染症予防への道程において重要な役割を果たすことになります。（一八九ページ参照）

〈2〉フロギストン説

❖ 燃焼現象をフロギストンで説明

古代ギリシャ哲学では火は四元素のうちの一つであり、軽くて乾いており上向きに直線運動するという属性を与えられました。しかしなぜ物は燃えるのかについて科学的議論がなされたのは一七世紀後半に入ってからです。そして、前項〈1〉で述べたように、ボイルによって燃焼現象は解明に向けての第一歩を踏み出しました。その後、一八世紀に入りフロギストン説の登場によってしばらく混迷の時代が続きましたが、最終的にはラボアジェによって正しい解釈が与えられました。こういった経緯を以下で説明しましょう。

一七〇〇年頃にドイツ人医師のシュタール（一六六〇～一七三四）は、パラケルススの三原質（六八ページ参照）の一つである硫黄をフロギストンと命名し、燃焼現象を統一的に理解しようと試みました。その後、いくつかの気体の発見に伴ってフロギストンは気体に似た性質を持つと見なされ、次第にその存在が認知されるようになってきました。

多くの化学者は、可燃性の物質の中にはフロギストンが含まれていて、物の燃焼とはフロギストンが物質から逃げ去る現象であるとしました。

たとえば、木炭や金属を燃やすとフロギストンが逃げ去って灰が残る、同様に、水素を燃やすと水とフロギストンが生成するとしたのです。つまり可燃性物質はすべてフロギストンを含む複合物質であるということになります。ほとんどの燃焼現象がフロギストン説でうまく説明できたため、多くの科学者がこの誤った考えを支持しました。

❖ フロギストン説の矛盾

ただしフロギストン説には、燃焼によって灰の重さが増加するという重大な欠陥がありました。軽量の水素ガスがフロギストンの候補に上がったり、フロギストンに負の重さを割り当てたりといった荒唐無稽な解釈がなされたこともありました。さらに、生物の呼吸とは体内からフロギストンがゆっくり抜けていく現象であり、周囲の空気がフロギストンで充満すると呼吸が苦しくなると説明されました。

2 様々な物質の発見と元素の認定

❖ 元素の種類が急激に増えた

一七世紀、ヨハン・グラウバー（一六〇四〜一六七〇）などの化学を専門とする研究者が登場し、多くの無機物質を新たに発見しました。また、それらの抽出と精製の際に必要な蒸留装置や昇華装置などが改良され、性能が大きく向上していきました。また、一八世紀に入って鉱酸（硫酸、硝酸）や塩酸が自由に使えるようになると、溶液を用いた物質溶解や析出などの操作技術が開発され、洗練されていきました。

こういった専門の化学者たちは、次第にニュートンの力学的自然観による粒子論から脱却して、元素の多様性を認め、様々な元素を同定し命名するようになりました。この潮流には、化合物の合成と分析が数多くなされたこと、それぞれの金属（灰）が互いに異なる元素と認められたことなどが関係しています。また、一七六〇年頃にイギリスから産業革命が始まり、企業がより強い市場競争力を得るために大学の研究者への支援を強めたことによる恩恵もありました。

さらに、一八世紀後半になると、次々と重要な気体が発見されました。二酸化炭素は一七五二年にスコットランドのジョセフ・ブラック（一七二八〜一七九九）によって、窒素分子は一七七二年に同国のダニエル・ラザフォード（一七四九～一八一九）によって、水素分子は一七六六年にイギリスのヘンリー・キャベンディシュ（一七三一～一八一〇）によって分離生成されました。以下にそれぞれの発見を紹介します。

❖ 二酸化炭素、窒素、水素の分離生成に成功

ブラックは炭酸カルシウムに熱を加えることで発生する二酸化炭素を発見しました。彼は密閉容器の中でろうそくを燃やしても、同じ二酸化炭素が発生することを明らかにしました。また、ワインの発酵や人の呼吸でもその発生を報告しました。

ブラックの実験を引き継いだラザフォードはこの密閉容器内の二酸化炭素を化学薬品に吸収させることで最後に残った気体を分離しました。フロギストン空気と名付けられたこの気体は実は窒素であり、ラザフォードは窒素の発見者として後世にその名前が刻まれました。

水素を発見したキャベンディシュはイギリスの貴族の出身で、自費で自宅に実験室を建設し、そこで様々な実験を行いました。とくに鉛球を使った「ねじり振り子」を利用して金属線のねじれから地球の密度と万有引力定数を推定した一七九八年の実験は有名です。彼は亜鉛や鉄などに、塩酸や硫酸などを反応させ、発生する水素を集めて研究しました。水素は非常に軽いので、最初、キャベンディシュはフロギストンではないかと考えたそうです。

3 ラボアジェによる定量化学の創始

〈1〉酸素の発見

❖シェーレが最初に酸素を発見した

生命活動にとって大事な酸素は、スウェーデン人のカール・シェーレ（一七四二～一七八六）とイギリスのジョゼフ・プリーストリー（一七三三～一八〇四）によって発見されました。

シェーレは貧しかったため、小学校教育しか受けていませんでした。一四歳から薬屋に働きに出て、仕事をしながら塩素、グリセリン、フッ化水素、マンガン、リンゴ酸やクエン酸などを発見しました。彼は、酸素を硝酸や硝酸塩の熱分解によって作り出すことに成功しました（一七七二年）。新物質の発見以外にも、顔料を調合したり、塩化銀の感光性を解明したりといった業績を残しています。これだけ多くの物質が一人の科学者によって発見されたことは超人的であると評価されています。

❖少し遅れてプリーストリーも酸素を発見

【図19】ジョゼフ・プリーストリーによる酸素の発見と性質究明

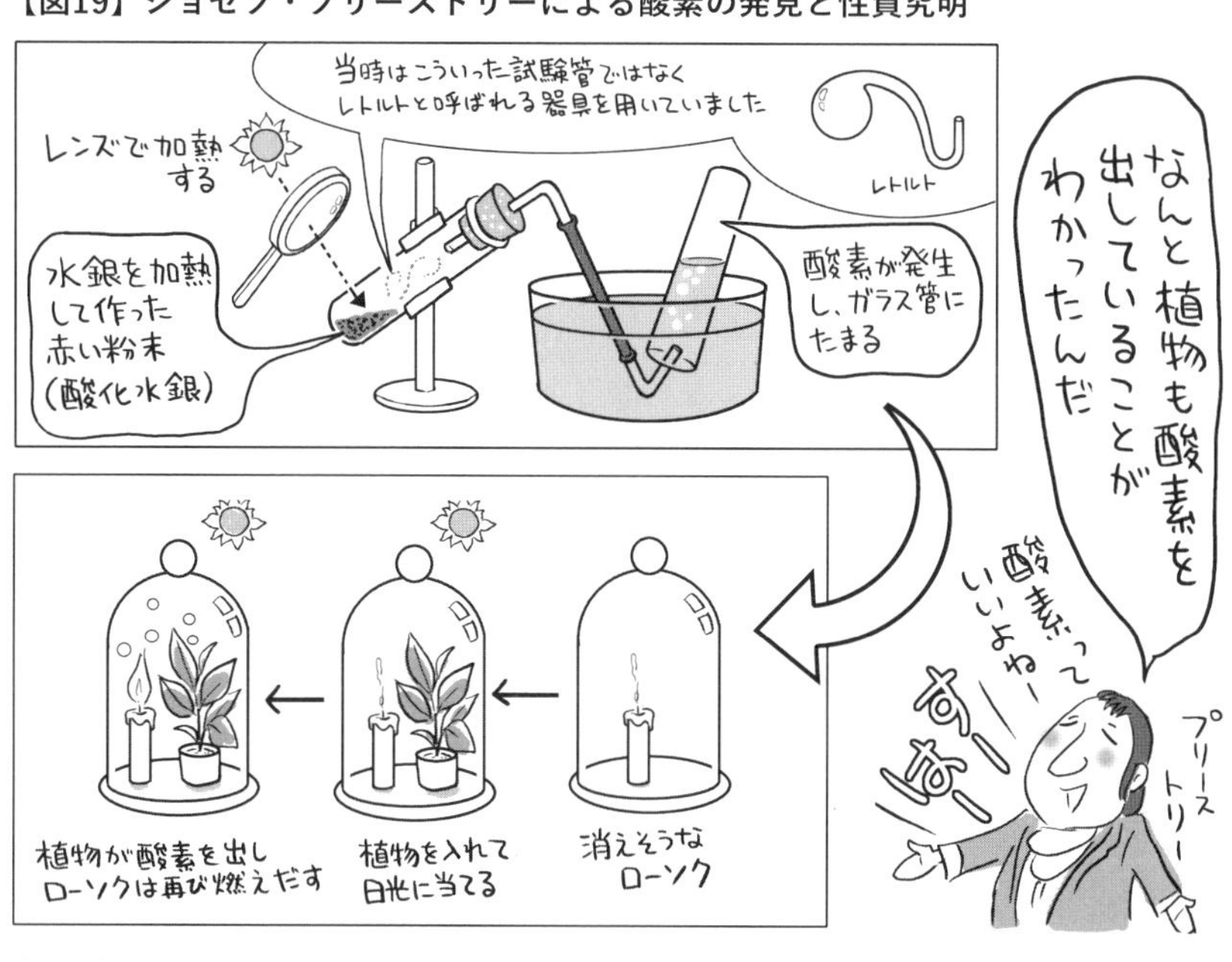

一方のプリーストリーは、一七七四年にシェーレより二年遅れて酸素を発見しました。その手順を説明しましょう。まず、水銀の入った洗面器にお椀形のガラス容器を伏せて入れたものを用意します。洗面器を加熱すると容器内の空気の体積が徐々に減少していきました。全体積が最初の約八〇％になるまで減少したところで、水銀表面に生成した赤い粉末を集めて、密閉したガラス器具で、先端に一つだけ細い出口がある容器に入れます。これをレトルトと言います。この出口を気体捕集装置につないでから、レンズで集光した光でレトルト中の赤い粉末を強く加熱しました。すると気体が発生するので、これを捕集します。集めたこの気体中で物を燃やすと、常に眩（まばゆ）い光を放って激しく燃えました。これが酸素だったのです。また、赤い粉末が酸化水銀

(Ⅱ)であったことも後に分かりました。

酸素を発見したプリーストリーはフロギストン説を熱心に支持しており、酸素が呼吸に適している気体であることから、酸素とは普通の空気からフロギストンが抜けた気体であると判断して「脱フロギストン空気」と命名しました。

❖ プリーストリーが炭酸水を開発した

本題から少し離れますが、プリーストリーは初めて炭酸水を製品化した人物でもあります。彼は近くのビール工場の樽の中に二酸化炭素が発生することに気付き、それを水に溶かすと、泡立ってしかも気分が爽快になることを発見しました。彼は炭酸水を海軍に販売しかなりの実績をあげました。その後、シュウェップがスイスで炭酸水を製造・販売する会社を本格的に立ち上げて、今日の炭酸水ブランドのシュウェップスを創立したことはよく知られています。

〈2〉燃焼現象の解明

❖ プリーストリーとラボアジェの遭遇

フランス人のアントワーヌ・ラボアジェ(一七四三〜一七九四)は、パリで名が通った化学者であり、フランス王立科学アカデミーの会員でもありました。彼は妻のマリーアンヌを助手にして、ほぼ毎日、実験をしていました。

一七七四年当時のラボアジェは、金属類、硫黄、リンを加熱燃焼させて天秤で反応前後の重量を量ると、気体や微粉末も逃さなければ燃えた後に必ず重量が増すことを見出していました。この結果に基づいて、彼は、物が燃えて重くなるのは空気の一部分が燃えるものと結合するからだと予想しました。しかし、決め手になる証拠はまだ得られていませんでした。

その年の一〇月にパリで開かれた晩餐会で、ラボアジェはホストを務めていました。その会に招かれていたプリーストリーは、彼が発見した脱フロギストン空気の合成方法と性質をラボアジェに詳しく説明してしまったのです。早速、ラボアジェは実験室で、プリーストリーの実験を再現させました。

❖ 定量的な実験で酸素の役割を明確にした

ラボアジェはプリーストリーに倣って水銀の入った洗面器とお椀形のガラス容器を用いて、加熱法で赤い粉末Aを得ました。しかも、粉末Aの精密な重量だけでなく、その際に失われた約二〇%分の気体の体積も正確に量っておいたのです。続いて、レトルト中で粉末Aを熱分解させて発生した気体Bの体積も量りました。その結果、粉末Aを作ったときに失われた気体の体積と熱分解させたときに発生した気体Bの体積が一致することを明らかにしました。さらに、粉末Aを作ったときにガラス容器に残っていた気体Cを、気体Bと混ぜ合わせると、元の空気に戻ること

【図20】アントワーヌ・ラボアジェらが開発したカロリーメータ

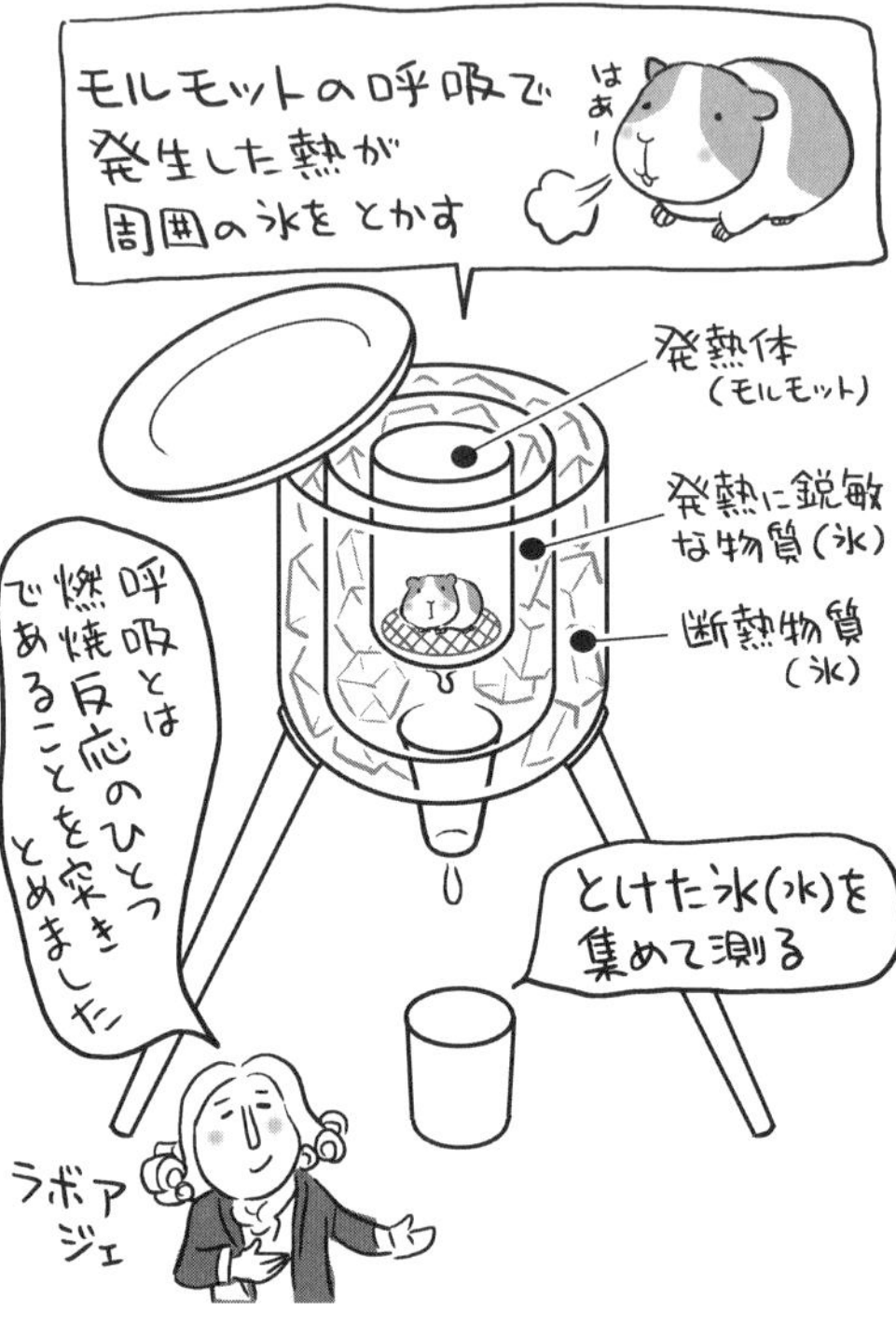

も確認したのです。以上のような精密な重量測定と体積測定によって「目方の増加の原因はこの気体Bが水銀と結合したからである」と結論しました。

❖フロギストン説を葬り去る

一七八〇年の発表論文で、彼はこれまで脱フロギストン空気と呼ばれてきた気体Bを、これからは「酸の源となる元素」つまり酸素と呼ぶことにすると宣言しました。これは、当時よく知られていた硝酸、硫酸、シュウ酸に酸素が含まれていたからです。

定量的実験と論理的思考を通して、ラボアジェは化学反応の前後で質量が変化しないという「質量保存の法則」を確立し、燃焼は燃えるものが酸素と結びつく現象であることを明らかにしました。これによってラボアジェは、フロギストン説を完全に葬り去ったことになります。

さらに彼は数学者のピエール・シモン・ラプラスと共同して、複数の小部屋からなる断熱性の金属容器に氷を詰めたカロリーメータ（熱量計）という装置を製作しました。小部屋の中に炭や金属など燃やしたいものや、モルモットなどの動物を入れて、燃焼や呼吸により発生する熱を計測しました。彼らは定量的な実験から、呼吸という生命現象が、体内で血中の炭素が酸素と反応してゆっくり燃焼し二酸化炭素に変化していることに外ならないと結論付けました。これにより、ガレノス以来の生命精気の問題に決着がつけられたのです。

❖ 水が元素ではなく化合物であることを証明

こういった輝かしい業績以外にも、ラボアジェは社会に大きな影響をもたらす多くの成果を上げています。水が二種類の元素からなる化合物であることを実験的に明らかにし、水素の大量生成法を立案したのもラボアジェでした。

当時、遠距離の輸送手段としてモンゴルフィエやジャック・シャルルを中心に熱気球の開発が始まっていました。熱気球に対抗して登場したのが、キャベンディシュが発見した水素を中に詰めた水素気球でした。水素は空気よりも一桁軽く、気球を上昇させる能力は極めて高いことが分かっていました。しかし、キャベンディシュのように金属に酸素を加えるやり方で水素を発生させると、その中には水蒸気が多く含まれており、当時の紙製の気球はしばらくすると破れてしまうという問題を抱えていました。

一七八三年、ラボアジェは広場に薪や藁などの燃料を積み上げて、その上に大砲を運んで灼熱

【図21】水の還元反応で作った水素を詰めた気球

する（金属を焼いて熱くすること）まで大砲を加熱しました。その後、大砲の砲身に水蒸気を導入すると、酸欠状態の大砲の中で水から酸素が奪われることで水素が発生しました。この水素を気球に詰めたのです。この方法により、水蒸気を含まない水素を十分な量だけ得るための時間が著しく短縮されることになりました。また、水が最低二つの成分からなることも証明されました。

❖ 化学の世紀への幕が開かれる

一七八九年には、ラボアジェは、自身の研究の集大成として主著『化学原論』を出版しました。その本の中で、彼は個性の異なる三三種類の元素の存在を認め、それらの元素はこれ以上単純な構成物には分解できないということを実験的に証明しました。単一の元素からなる純物質のことを単体と呼びます。ラボアジェが初めて単体であることを立証した酸素、水素、窒素も『化学原論』の元素表の中に含まれています。ただし、三三種類の元素の中にはカロリーメータで測定対象となった熱素（カロリック）も含まれており、ラボアジェはこの熱素も酸素や炭素と同じく、原子からなるというカロリック説を信じていました。

彼が提唱したこの新たな物質体系がきっかけとなり、一九世紀を「化学の世紀」とする道筋が切り開かれていったのです。

一七九四年にラボアジェは、フランス革命に続く恐怖政治のなか、ブルボン王朝のもとでの徴税請負業が反感を買って裁判にかけられ、ギロチンによって処刑されました。これにより、彼によってその存在が合理的に証明された「元素」というものが、実際にどういった形で存在しているかは、次世紀の科学者の手で解明されることになりました。

第7章　原子説と分子仮説に関する世界共通の了解

1　ドルトンの原子説と問題点

〈1〉倍数比例の法則と原子説

❖ 物質を構成する究極粒子を原子と呼んだ

一九世紀初頭、イギリス人のジョン・ドルトン（一七六六〜一八四四）は産業革命で急成長を遂げていたマンチェスターで化学の研究に取り組んでいました。彼が後世に名を遺したのは、物質は無限に小さくこれ以上は砕くことはできない究極粒子からなる、という原子説を唱えたことによります。

ドルトンは、「これ以上分割できない」というラテン語 a tomos にちなんで、この究極粒子を原子（atom）と名づけました。そして、元素ごとに固有の原子があり、同一元素の原子はその性質が同じで、特にその質量が同一であると考えました。彼は原子を簡便に表すために、現代の元素記号の原型となる略記法も発案しました。

ドルトンは、単一元素だけからなる物質つまり単体の場合（一〇八ページ参照）、対応する元素記号一個で原子を表しました。当初彼は、単体の究極粒子は原子一個に限ると見なしていましたが、後年その考えを改めて、単体であっても二個以上の原子が結合した複原子が究極粒子となる場合があることを認めました。

一方、二種類の元素からなる複合物質つまり化合物の場合は、それら二種類の元素の原子が整数個ずつ（正確には自然数個ずつ）集まった複原子が究極粒子になると考え、対応する成分元素の元素記号を繋げてその複原子を表現しました。以上のことは、三種類以上の元素からなる化合物についても同様です。ドルトンは、特定の化合物の複原子に含まれる各成分元素の原子の数は常に一定であると主張しました。

❖ 原子説の根拠となるのが倍数比例の法則

ドルトンにとって、一八〇三年に彼自身が発見した「倍数比例の法則」が、この原子説の正当性を裏付ける根拠になりました。倍数比例の法則とは、二種類の元素AとBから複数種類の化合物ができる場合、一定質量のAと化合するBの質量は簡単な整数の比で表されるというものです。この「Bの質量が異なる物質間で整数の比になる」ということは，要素のレベルで、整数の比、つまり個数の比が成り立っていることを意味し、それゆえ物質が究極要素としての原子からなるという原子説の正当性を支持しています。

具体的な例を窒素と酸素からなる化合物を例にとって説明しましょう。そういった化合物としては三種類が知られており、それぞれ亜酸化窒素、一酸化窒素、二酸化窒素と名付けられています。精密な実験から、窒素一gに化合している酸素の質量は、それぞれ〇・五七一g、一・一四g、二・二九gと求められるので、事実一：二：四という整数の比になっていることが分かります。ドルトン当時の表記法とは異なりますが、現代の元素記号で上記の分子を表現すると、それぞれN_2O、NO、NO_2となり、窒素原子Nと酸素原子Oは固有の質量を持ちその質量比が一：一・一四であることが裏付けされます。

❖ 世界で初めて原子量を測定

ドルトンは水素原子Hの質量を一としたときの別の原子の質量、すなわち相対的な質量を、当時知られている実験データから初めて見積もりました。これは科学者が測定した世界初の原子量ということができます。初期の頃は、N原子とO原子の原子量がそれぞれ五と八になるなど、正しい値からのずれが生じました。これではNとOの質量比が一：一・六になってしまいます。

ドルトンの計算に誤りがあった理由は、アンモニアまたは水の水素原子一個が、それぞれN原子一個またはO原子一個に結合しているという誤った仮定のもとで議論を進めたからなのです。正しくは、アンモニアはNH_3なのでNの原子量は五ではなく一五となり、水はH_2Oなので八では

【図22】ジョン・ドルトンによる世界最初の原子量決定

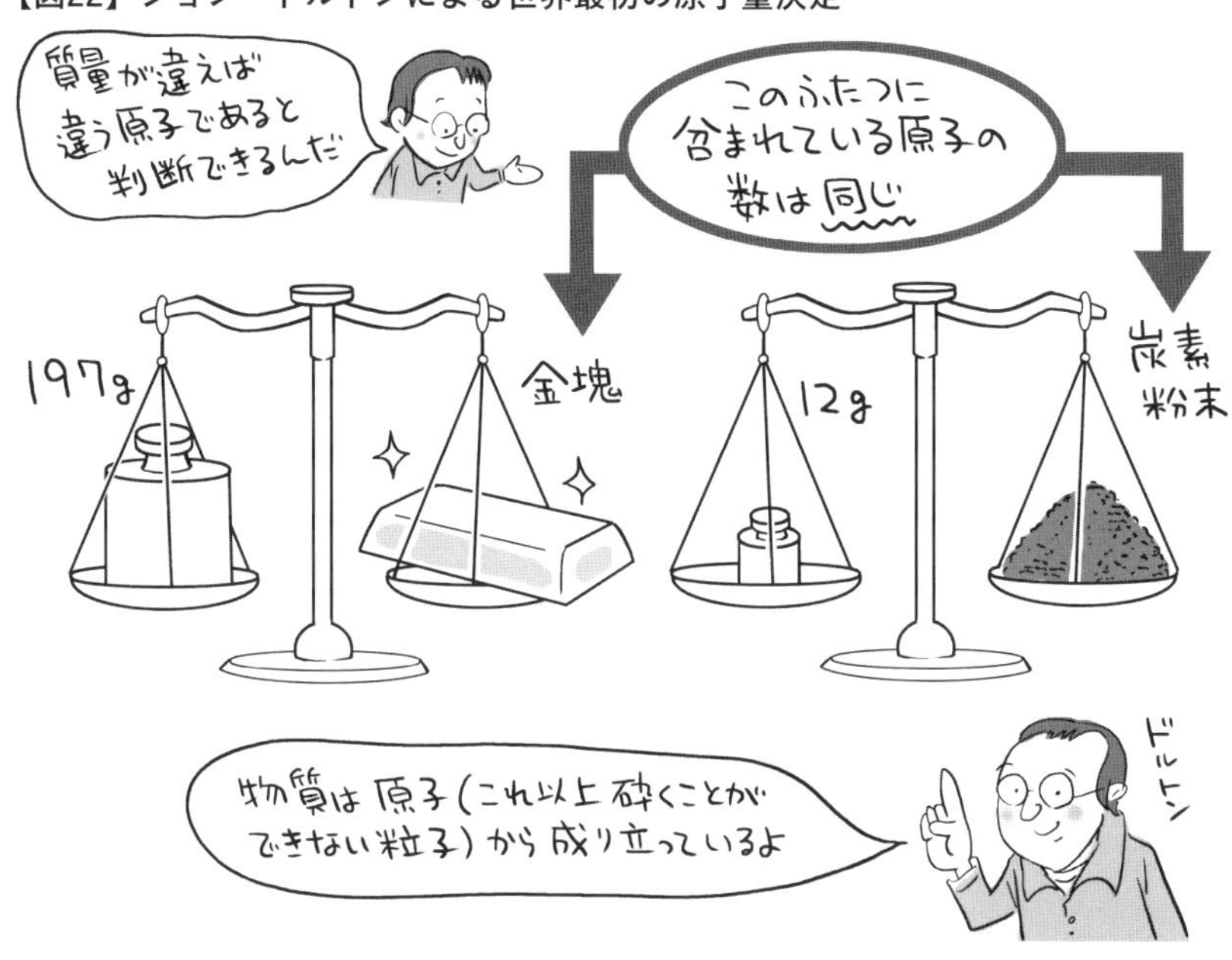

質量が違えば違う原子であると判断できるんだ
このふたつに含まれている原子の数は同じ
197g
金塊
12g
炭素粉末
ドルトン
物質は原子（これ以上砕くことができない粒子）から成り立っているよ

なく一六となります。その後の研究で、N原子の原子量は一四に修正され、NとOの質量比は前述の一：一・一四と合致します。

こういったいくつかの誤解があったにせよ、ドルトンの原子説は実験に根ざした観測事実に基づいているという点で古代の原子説とは全く異なっており、彼の原子説は化学の基礎理論となりました。ドルトンの原子観に基づいて、科学者は見ることはできない物質の究極粒子について思いめぐらせるようになったことは画期的なことでした。とくにその質量を水素に対する相対的な重さとして定量的に扱うことができるようになり、化学反応が原子の結合や分解によって進行することが明らかになったのです。ドルトンのおかげで、一九世紀に入って、化学は科学の最先端を行く分野へと変貌を遂げていきました。

〈2〉気体の反応体積に関する法則

❖「アボガドロの仮説」が導かれる

前項に述べた通り、ドルトンの化合物中の原子数にはいくつかの誤りがあり、最初のころはそのせいで多くの混乱が生じました。ドルトンの原子説を受け入れていたジョセフ・ルイ・ゲイ・リュサック（一七七八～一八五〇）らは様々な気相化学反応について実験し、温度と圧力を変えなければ、反応に関与する気体の体積比が簡単な整数比になることを示しました（気体反応の法則）。

この事実から、一八一一年にアメデオ・アボガドロ（一七七六～一八五六）は、すべての気体は同温・同圧の下では同体積中に同数の原子を含むという「アボガドロの仮説」を導きました。後年、この仮説は、分子の体積も分子同士の相互作用も無視できる理想的な気体（これを理想気体と呼ぶ）で成り立つことが証明されています。

この法則で幾つかの気相反応は合理的に説明されました。しかし、ゲイ・リュサックらはアボガドロの仮説では説明できない反応結果も多々発見しました。まず、二リットルの水素Hと一リットルの酸素Oから水H_2Oが生成する反応では、生成物をすべて気体の水蒸気としてその体積を量ると、予想される一リットルではなく二リットルとなりました。

【図23】アメデオ・アボガドロの仮設と分子説

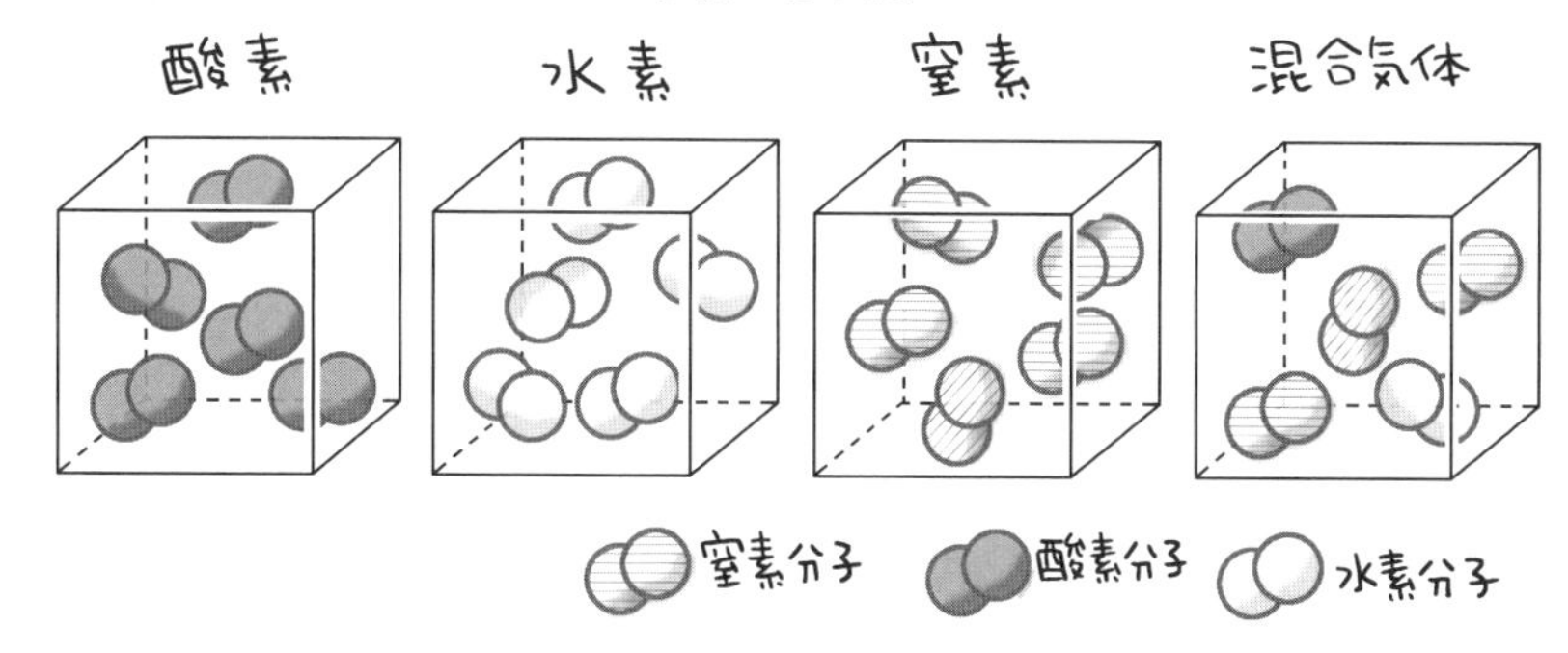

酸素
水素
窒素
混合気体
窒素分子
酸素分子
水素分子
気体分子の単体の多くは、2つの原子が対になった分子単位として存在するよ。
同温、同圧、同体積ならば、気体の種類に関係なく同数の分子が含まれるのだ。
アボガドロ

水素（二リットル）＋酸素（一リットル）→水蒸気（二リットル）

同様に、一リットルの酸素と一酸化窒素NOの反応では、過不足なく反応するNOの体積は予想される一リットルではなく二リットルであり、生成物の二酸化窒素NO_2の体積も予想される一リットルではなく二リットルとなりました。

酸素（一リットル）＋一酸化窒素（二リットル）→二酸化窒素（二リットル）

2 アボガドロの分子説

❖ アボガドロの仮説と分子仮説が認められる

数年後、アボガドロは、気体反応に関する仮説に加えて、酸素や水素などの単体が、一原子ではなく二原子が対になった分子単位として存在すると主張し、すべての気体化学反応実験の結果を矛盾なく説明しました。たとえば、水素原子Hの質量を一とすると、安定に存在する水素分子H_2の質量は二となります。

アボガドロの仮説と彼の分子説は約五〇年後の一八六〇年にカールスルーエで開催された国際化学者会議で全ヨーロッパの化学者に広く認められるようになりました。

この会議の参加者の中には三人の若手化学者、アウグスト・ケクレ（一四四ページ参照）、ドミトリ・メンデレーエフ（一一九ページ参照）、スタニズラオ・カニッツァーロ（一八二六〜一九一〇）が含まれていました。カニッツァーロは、原子と分子に関する化学者の見解を一致させるために、分子仮説に基づいて原子量を決定する方法を提唱しました。カニッツァーロが基調講演で示した元素Xの原子量を求める手法は以下のとおりです。

①原子Xを含む化合物気体Y_1と水素気体（分子量二）との密度比からY_1の分子量が求まります。具体的に言うと、アボガドロの仮説から、温度や圧力を同じにしておけば、一リットルのY_1気体に含まれる分子の数は、一リットルの水素気体に含まれるH_2分子の数に等しくなります。したがって、実測したY_1気体一リットルの重さと水素気体一リットルの重さの比は、そのままY_1分子一個の質量とH_2一個の質量の比に等しくなります。このことから、H_2の分子量の二を用いて、Y_1分子の分子量が計算できます。

②得られたY_1の分子量に、精密元素分析から決定したY_1中のXの重量パーセントを掛け算します。これによりXの原子量の整数倍の値が得られます。ここで注意しなければならないのは、Y_1分子の中にX原子が何個入っているかはまだ不明なので、掛け算から得られる値はあくまでもXの原子量の整数倍でしかない、ということです。

③Y_1以外の化合物気体Y_2、Y_3、…についても、①と②の操作をしてXの原子量の整数倍を求めます。最後に、それらの最大公約数を求めることで、Xの原子量が得られることになります。

上記の手順は気体物質に含まれる元素に対しては適用できますが、それ以外の元素には使えないので、別のやり方が編み出されました。金属の性質を示す固体中には金属元素が含まれます。金属元素の原子量は、水素や酸素原子を含む化合物の元素分析および原子量と熱容量の積が一定であるというデュロン・プティの法則などから推定することができます（熱容量については一二七ページ参照）。以上のカニッツァーロの発表を契機として、長年にわたる化学者たちの混乱が収まったことからも、アボガドロの仮説と分子仮説は、参加者のほとんどに納得され受け入れられたことが分かります。それ以降は、仮説はもはや仮説ではなく化学の基本法則として認められました。

❖ 同じ元素でも質量の異なる原子が存在する

一九世紀の間は、原子量は酸素原子Oの質量を一六・〇〇としたときの、各元素の原子の相対的質量として定義されていました。こうすれば最軽量の水素の原子量が一・〇になるからです。

その後、一九一三年にジョセフ・ジョン・トムソン（一五七ページ参照）によって同位体の存在が明らかとなったため、一九六一年からは質量数一二の炭素原子の質量を一二・〇〇とする基準に変更されています。

3 周期表の考案

❖ 周期表から新元素の存在を予測する

ロシア人のドミトリ・メンデレーエフ（一八三四〜一九〇七）とドイツ人のローター・マイヤー（一八三〇〜一八九五）は、原子量が増加するにつれて、類似した性質を持つ元素が周期的に表れることに気が付き、一八六九年に周期表を発表しました。

とくに、メンデレーエフは、当時発見されていた六三種の元素を、軽いものから重いものへと上から下へと順番に並べた表を作りました。その際に、単純に縦方向に並べるだけでなく、もし途中でよく似た元素が現れたときには、それらが左右に並ぶように配置しました。当時は、まだ発見されていない元素や原子量に誤りがあった元素もあったので、現代の周期表とは随分と異なっていますが、それでも、アルカリ金属（一族）、窒素族元素（一五族）、カルコゲン（一六族）、ハロゲン（一七族）については、原子量が軽い順に四つまでの元素が、正しく横並びに配置されています。

しかも賢明なことに、メンデレーエフは元素の性質や原子量の間隔から判断して、どうしても妥当な元素が見つからない場合は、その場所を空欄にしたまま残しておきました。さらにそういった未知元素に期待される原子量A_r、原子価、密度、融点の値などを予言しました。

一例として、メンデレーエフはケイ素Si（A_r＝二八）と錫Sn（A_r＝一一八）の間にエカケイ素というA_r七二の元素を予言しました。その後、ゲルマニウムが発見され、その性質はエカケイ素と合致したことからも、メンデレーエフの周期表の信憑性が認められました。

彼は一八七一年に、それまでの周期表を九〇度回転させた、現在のものと同じ横型の周期表を発表しました。周期表の発明から一五〇年に当たる二〇一九年は国際周期表年として各種イベントが開催されました。二〇一六年までで第七周期までの一一八個の元素がすべて発見されて名前が確定しています。周期表は自然界の秩序と科学の進化を象徴するものとして、多くの科学者に感銘を与え続けています。

第8章　熱とエネルギーと電気

1　産業革命の原動力となるエネルギー

〈1〉高効率蒸気機関の開発

イギリスの産業革命は、一七六〇年頃に紡績業の技術変革と機械化を基軸にして展開されました（ジェニー紡績機、ミュール精紡機、カートライトの力織機など）。その後の蒸気機関の発展により、製品の生産速度と輸送速度の桁違いの向上がもたらされました。

❖ 蒸気機関による動力化

一八世紀初頭、イギリスでは石炭の採掘量が急増し、地下水を汲み上げるための蒸気機関が発明されました。トーマス・ニューコメン（一六六四〜一七二九）は水蒸気でピストンを動作させる蒸気機関を初めて実用化しました。大気圧機関と呼ばれるこの機関のエネルギー変換効率は極めて低いものでしたが、一八世紀のヨーロッパ中の鉱山で一五〇〇台以上も利用され続けたという

【図24】ジェームズ・ワットの複動回転蒸気機関

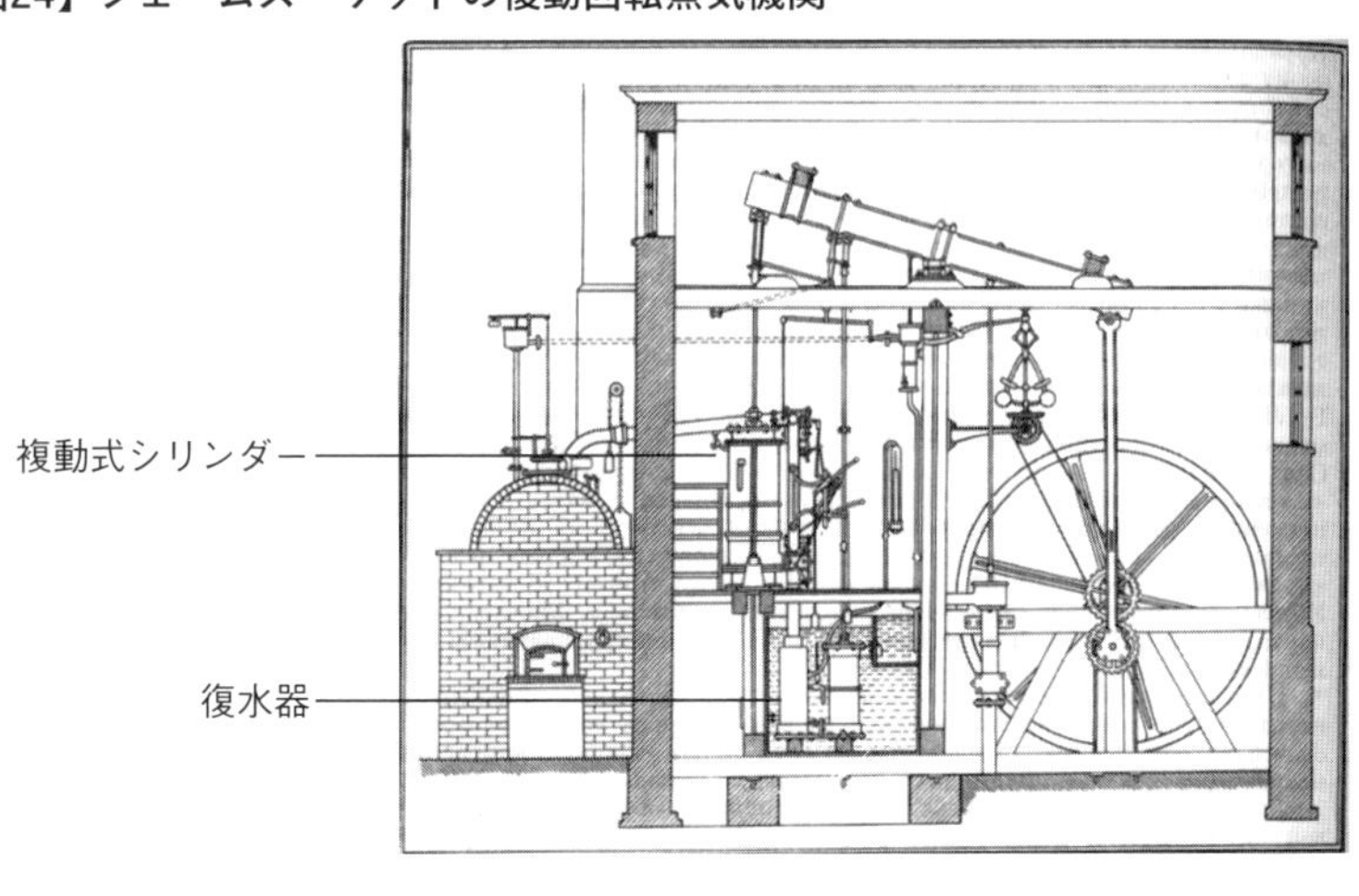

ことです。

一七六九年、ジェームズ・ワット（一七三六～一八一九）は高温のシリンダーとは別に、蒸気を冷やすための復水器を取り付けることで、蒸気機関の変換効率を飛躍的に増加させました。彼と協力者マシュー・ボールトン（一七二八～一八〇九）の方法では、シリンダーの温度を注入蒸気の温度と等しくできるので熱量の損失を最小限にできるという特徴があります。さらに、遊星歯車機構（複数の歯車が惑星のように自転しつつ公転する構造）や複動機構（複数の膨張室を備えたシリンダーを使って直線運動を回転運動に変換）などの技術革新がなされることで、ワット機関の燃料消費はニューコメン機関のそれの五分の一まで減少し、次第にワット機関が凌駕していきました。

そして、ワットは、もっぱら鉱山で用いられていた蒸気機関を製鉄所や工場の動力として導入する道を切り開き、ヨーロッパの産業構造の変革に成功したのです。一七八七年以降、蒸気機関は綿紡績や織布技術にも利用され、ミュール紡績機やカートライトの力織機は一九世紀になるとすべて蒸気機関により動力化されるようになりました。

〈2〉蒸気機関車

❖ 社会を変える高速輸送手段の登場

蒸気機関は物流にも大きな変革をもたらしました。蒸気機関車を初めて走らせたのはリチャード・トレビシック（一七七一～一八三三）という人物です。

彼は、ワット機関を大幅に小型軽量化し、しかも五〇気圧近い高圧の条件を実現することで、重い車両の自走を可能としました。一八〇四年には、五両の貨車をつないで七〇人の乗客を乗せたトレビシックの機関車が路面軌道上を一六kmも走破しました。一八三〇年になるとイギリス全土には約二〇〇kmの鉄道が敷設され、さらに一八六〇年には一〇〇〇〇kmまで延伸されました。

蒸気機関車という高速輸送手段の登場によって、一九世紀の社会は大きく様変わりしたのです。

余談ですが、トレビシックは、その後、独創的な高圧蒸気タービンを製作したり南米大陸の鉱山開発のコンサルタントに就いたりと様々な新規事業を手掛けたそうです。しかし、破産を繰り返し経験し、晩年は恵まれなかったと言われています。

2 熱の研究と熱力学の創始

❖ 蒸気機関から熱力学が生まれる

前節で紹介した通り、産業革命の中心的な推進力は蒸気機関でした。それにもかかわらず、産業革命初期は蒸気機関に携わる多くの技術者がその理論的な側面については、あまり意に介しませんでした。そのため、熱、仕事、エネルギーの本質に対する疑問の多くが未解決のまま取り残されていました。

その後、伝統的なカロリック説では熱機関における熱と仕事の変換をうまく解釈できないことに焦燥を感じていた技術者や研究者が、新たな打開策を模索し始めました。そして丸一世紀かけて、熱、仕事、エネルギー、エントロピーなどを取り扱う学問は、熱力学という独立した分野にまで成長していきました。

ここでは近代科学の黎明期である一七、一八世紀に、温度、熱、エネルギーという概念を自然科学者達がどのように探究し、とまどいつつも正解に辿り着いたのかについて記し、後半では熱力学と蒸気機関の関連性について紹介していきます。

〈1〉温度と熱を探究する

❖ 温度計の誕生

ごく初期的な温度計は目盛すら付いていない空気測温器というもので一六〇〇年代初頭にイタリアで発明されました。トリチェリらによって気密性がない空気測温器は気圧の変動に敏感であることが判明し（八四ページ参照）、その代わりに密閉型のアルコール温度計がイギリス王立協会のメンバーによって実用化されました。

定量的な目盛がついた最初の近代的な温度計はデンマーク人のオーレ・レーマー（一六四四〜一七一〇）によって作られま

【図25】３種類の温度計と基準となる温度

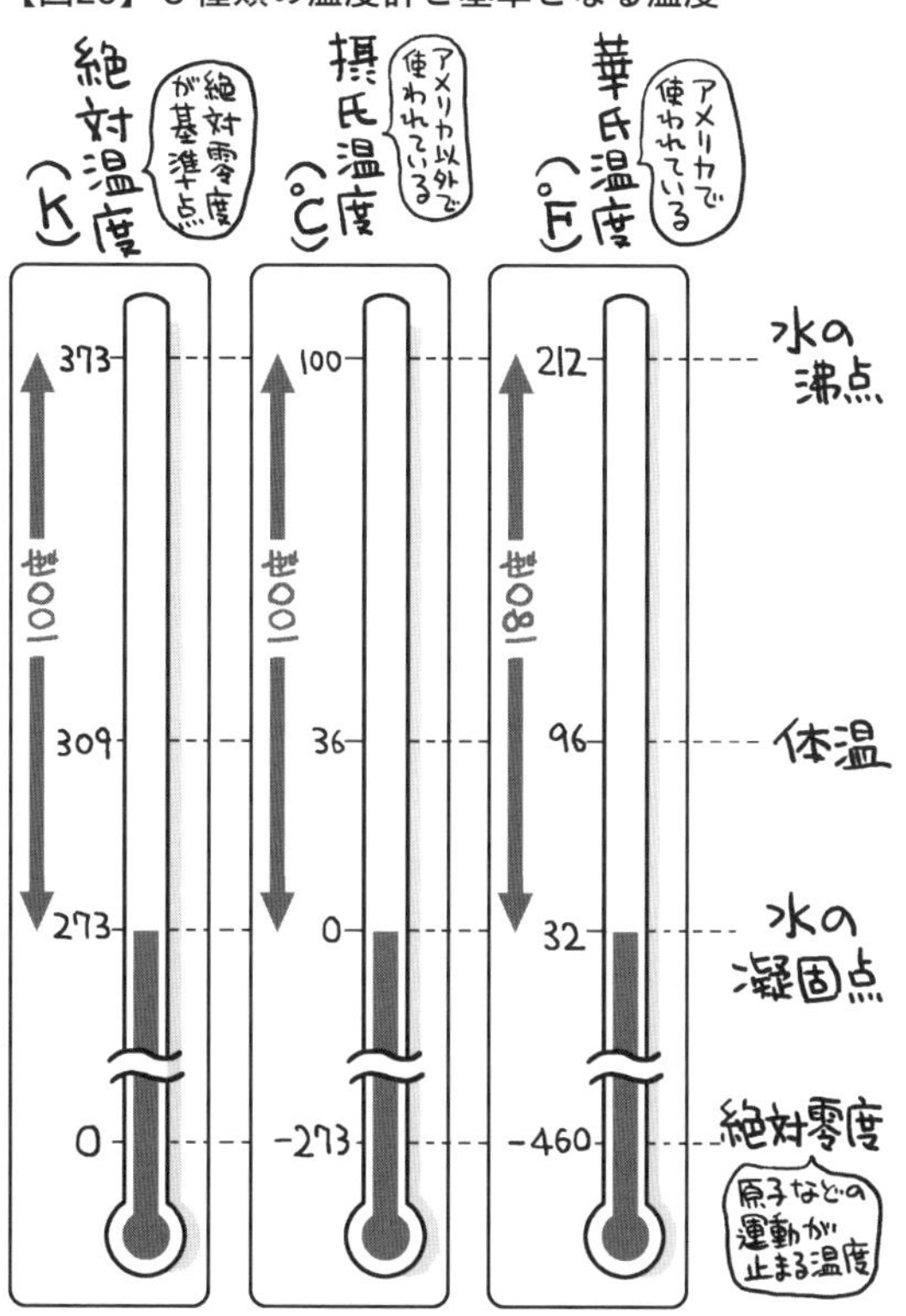

した。彼は水の沸点と凝固点の二か所を定点としてかなり正確な目盛を振ることに成功しました。レーマーから温度計の製作法を学んだ、ドイツ人のダニエル・ファーレンハイト（一六八六〜一七三六）は一七一六年に実用的な三定点水銀温度計を作製しました。まず氷と水と塩の混合物の温度を零度（〇°F）として、次に水の凝固点を三二度（三二°F）として、最後に人間の体温を九六度（九六°F）として利用しました。その結果、水の沸点の温度は二一二度（二一二°F）となりました。現在でもアメリカ合衆国とイギリスの一部ではこのファーレンハイト目盛による華氏温度計が一般に使用されています。

その後、より単純明快な温度計として、水の凝固点を〇度、沸点を一〇〇度とする二定点式温度計が製作されました。極地ラップランドにおいて、この温度計を使って、地球の扁平率を測定したスウェーデン人のアンデルス・セルシウス（一七〇一〜一七四四）に因んで、セルシウス目盛と呼ばれています。

❖ブラックは熱容量と潜熱と熱平衡の法則を発見した

スコットランドのジョセフ・ブラック（一〇〇ページ参照）は物体が温まったり冷えたりするのは、熱素（カロリック）という粒子がそれに出入りするためであると考えていました。そして、一七六〇年頃に、水とお湯を同量ずつ混ぜると、両者の温度の中間の温度を持つ倍量の水ができることをファーレンハイト製の精密な水銀温度計を用いて立証しました。この実験から、二つの物体が互いに熱をやり取りできる状態で接していて、しかもそれらの状態が変化しなければ、二つの物体は同一温度に保たれている、という熱平衡の法則を発見しました。この法則によって、当時までその差が曖昧だった温度と熱の違いが明確になりました。

また、ブラックは寒冷地の雪や氷がなかなか溶けにくいこと等の観察から、温度を一度上げるのに必要なカロリックの量が物質によって異なると推定し、熱容量の概念を初めて提唱しました。さらに彼は、凝固点温度にほぼ近い氷と水を別々の容器に入れて、温度が四℃に上昇するまでの時間を測定しました。その結果、氷は水の二一倍の時間がかかることが分かり、これから氷が水に転移するときには余分な熱、つまり潜熱が必要であることも実証されました。

以上のように、熱の移動において熱量が保存されることを実証したブラックの熱理論によって、熱は何らかの物質であり極めて軽量の微粒子からなるというカロリック説は、一八世紀末から一九世紀初頭にかけて多くの科学者によって信じられていました。また、熱は高温部から低温部に向かって拡散することから、カロリックはお互いに反発する性質を持つと考えられていました。

❖ カロリック説が熱運動説に淘汰される

ドルトンの原子説やアボガドロの法則に基づいて原子量の見積りが進み、様々な元素の基本単位となる原子の性質が分かってくるに連れて、流体的性質と自己反発力を持つカロリックは次第にその実態が混とんとしたものになってきました。

ランフォード伯ベンジャミン・トンプソン（一七五三〜一八一四）は、一七九八年の実験で、水中に沈めた砲丸をドリルでくり抜くときに生ずる大量の摩擦熱により水が蒸発したことから、熱量が全く保存されていないと主張しました。そして、熱とは物質を成す粒子の運動の一種であると主張しました。少し話はそれますが、トンプソンはイギリスの王立研究所の設立に貢献し（一七九九年）、ハンフリー・デービー（一三八ページ参照）を主席講師に選任したことで有名です。また、亡くなったラボアジェの妻マリーアンヌの再婚相手としても知られています。

後出のカルノーが、高温の水蒸気の熱がピストンの運動という仕事に変換されることを明らかにしたことがきっかけとなり、一八三〇年代には、熱をエネルギーの一つの形態と見る考え方が主流になってきました。

そして、カロリック説を完全に葬り去ったのは、ジュールによる熱と仕事の同等性を証明した一連の実験でした。ジュールの研究については次項〈2〉で説明します。一八四七年のオックスフォードでの彼の成果発表が学界に与えた衝撃は大きく、その後一〇年余りで熱を粒子として捉えるというカロリック説は消滅し、熱は分子の運動に起因するものであるという熱運動説が広く容認されるようになりました。

〈2〉エネルギーの形態と保存則

熱力学は物理学や化学の一つの柱となる分野となっていますが、その誕生は産業革命と深く関わっています。

熱力学において中心となる物理量は、実は、熱力学という学問名に含まれている熱や力学的仕事ではありません。ここで主役となる量は、対象となる系（システム）の状態量というものです。この状態量は、系の最初の状態と終わりの状態だけで決まる量で、これらを測定したり理論計算したりすることが現代の熱力学の主題になっています。状態量には様々ありますが、その中でも温度、内部エネルギー、エントロピーの三つは、熱力学を原子や分子の運動や量子エネルギー等と直接的に結びつけるための本質的な量となります。

❖ エネルギー保存則の確立

初めてエネルギーという用語を使ったのは、第1章1節に登場したトマス・ヤングです（一八〇七年頃）。その後、エネルギーが「力×力の作用距離」という量に等しいということを最初に提案したのは、フランス人のガスパール・ギュスターヴ・コリオリ（一七九二〜一八四三）でした。

エネルギーとは何かを説明するのは難しいのですが、力と距離の掛け算という定義に基づけば、離れたところに力を及ぼす能力ということになり、一言では「仕事をする能力」と表現することができるでしょう。実際に、エネルギーは熱という形態だけではなく、筋肉のなす機械的な仕事、食べ物に含まれるカロリー、電気による仕事など様々な形態をとり、しかも相互に転換できることが知られています。

そして、そういった相互転換は常に一定の量的関係を保って進行することが分かってきました。最終的にこのエネルギー保存則を物理学の原理として確立させた人物は、ユリウス・ロバート・マイヤー（一八一四〜一八七八）、ジェームズ・ジュール（一八一八〜一八八九）、ヘルマン・ヘルムホルツ（一八二一〜一八九四）の三人であるというのが定説になっています。熱力学におけるエネルギー保存則は、熱力学第一法則と呼ばれています。

❖ジュールは最先端装置で熱と仕事の関係を解明した

精緻な実験によって、熱と仕事の変換関係を定量的に示したのは、イギリス人のジェームズ・ジュールでした。彼は醸造業主の家庭に生まれ、幼少期にドルトンを家庭教師に持つという幸運な環境の下で、若くして科学に強い興味を示しました。彼は、一八三八年にボルタ電池や当時最先端のファラデーのモーターと発電機を用いた実験を行いました（電池、モーター、発電機については一三八ページ〜参照）。そして、運動エネルギーや電気エネルギーが熱エネルギーに変換されることからジュールの法則を発見しました。

現代科学の言葉で言えば、「導線中の電子の流れが、抵抗体に到達するとそこに含まれる原子と衝突する。その結果、電気エネルギーを原子の振動などの運動に伝播する、この運動が熱のエネルギーに相当する」と解釈されます。

ジュールは続いて一八四三〜一八四五年にかけて、水で満たした熱量計の横で重りを落下させ、

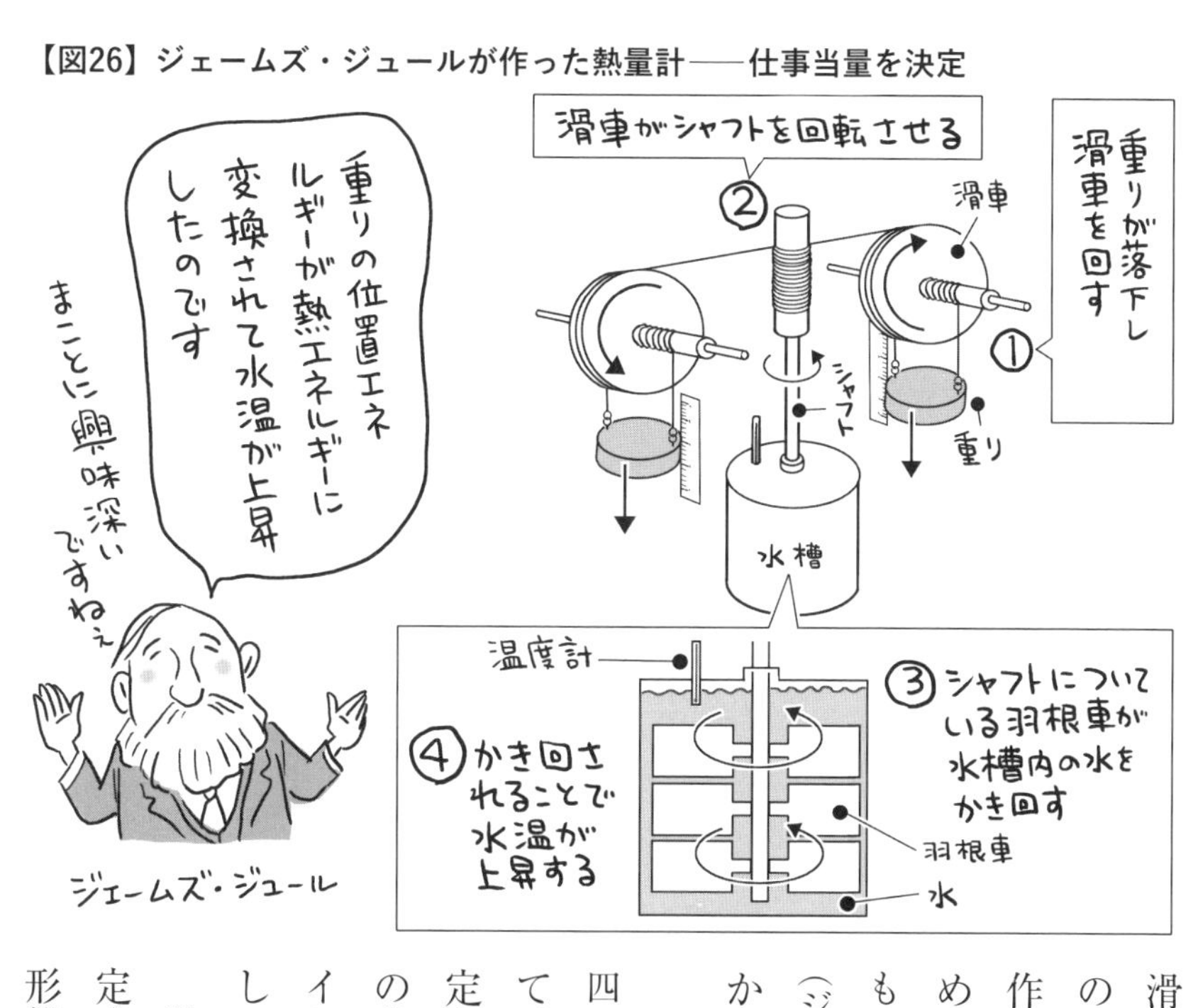

【図26】ジェームズ・ジュールが作った熱量計——仕事当量を決定

滑車を使ってシャフトを回転させ、シャフトの先の羽根車で水をかき回すという装置を製作し、熱と力学的仕事の量的関係を正確に求めました。これを仕事当量と呼び（仕事等量も同義）、一cal（カロリー）の熱は四・一八J（ジュール）のエネルギーに相当することが分かっています。

マイヤーはその数年前に、理想気体（一一四ページ参照）の膨張過程を理論的に考察して、「圧力一定条件での熱容量」と「体積一定条件での熱容量」の関係を導くやり方で熱の仕事当量を計算しています。ジュールもマイヤーもほぼ同時に、重要な関係式を導き出していたことになります。

数年後にヘルムホルツは熱力学第一法則を定式化し発表しました。さらに彼は、様々な形態のエネルギーについて、エネルギー保存の原理を一般化しました。

〈3〉蒸気機関とエントロピー

❖ エントロピーという物理量が生まれる

一八二〇年代に、フランス人のサディ・カルノー（一七九六～一八三二）は著書『火の動力およびこの動力を発生させるに適した機関についての考察』の中で、熱と仕事の関係、とくに熱から仕事への変換効率を詳しく調べました。彼は蒸気機関の一サイクルが一巡してすべてが元通りになるときに、熱のエネルギーをどれだけ効率よく仕事に変換できるかに注目しました。その結果、高温の物体（ボイラー）から低温の物体（復水器）へ熱を移動させたときに、ある決まった割合の最大仕事を生み出せることを見出したのです。彼は高温源と低温源の温度差が大きいほど変換効率が高くなると考察しました。

蒸気機関の効率を与えるカルノーの方程式は単純なものでしたが、そこには「自然現象の進む向き」という深遠な摂理が含まれていました。つまり、熱や仕事の移動には力学や電磁気学には存在しない「時間の方向性」があることにカルノーが初めて気付いたと言えなくもありません。

このカルノーのアイデアは、ウィリアム・トムソン（一八二四～一九〇七）とルドルフ・クラウジウス（一八二二～一八八八）に引き継がれました。彼らによって可逆過程[※a]という設定のもとでエントロピーという状態量が新たに考案されました。トムソンとクラウジウスは、不可逆過程[※b]における自発的な熱の流れや熱機関の効率に関する考察から、エントロピーを使って熱力学第二法則を定式化しました。この法則と熱力学第一法則と併せて、熱力学という新しい研究分野が確立されました。

熱力学第二法則によって、自発的に変化する断熱系のエントロピーは常に増大することが証明されます。ここで断熱系とは、魔法瓶のように外界との熱のやり取りがない系を意味します。さらに、秩序立った仕事のエネルギーの一部は常に熱として散逸するので、永久機関として存続することは不可能であるということも導かれます。

❖ 平衡熱力学の完成と統計熱力学の誕生

ジョサイア・ウィラード・ギブズ（一八三九～一九〇三）は溶液や混合気体の熱力学理論を構築しました。物質の出入りがない閉鎖系では、自発的に変化する方向は、自由エネルギーという量によって決まることを示しました。さらに化学反応や相転移が起こる系においては、化学ポテン

※a　可逆過程　熱力学で言う「系」とは蒸気機関、反応容器、電池などの注目している領域や装置を意味し、同じく「外界」とは系以外のすべての領域を意味する。系の状態が別の状態に変化しても、外界とやり取りした熱や仕事を元に戻せば、外界に何ら変化を残さずに系を元の状態に戻すことができるような状態変化のことを可逆過程という。

※b　不可逆過程　自発的に起き、可逆的ではない過程が不可逆過程であり、たとえば高温物体から低温物体への熱の流れは不可逆過程である。

シャルという量が化学平衡や相平衡の到達点に直接結びついていることを明らかにしました。このように、ギブズの研究によって平衡熱力学は集大成されました。

その後、オーストリアのルードヴィッヒ・ボルツマン（一八四四～一九〇六）によって、エントロピーは原子や分子の微視的な状態と直接的に関連付けられました。すなわち、規則的に並んでいるエネルギーレベルに原子や分子を収容させるときに、その配分の仕方の「場合の数」とエントロピーを結びつけることに成功したのです。つまり、場合の数が多いとその配分の仕方が登場する可能性が高くなり、その状態が確率的に観測されやすくなります。結果的に、いつでも場合の数が増える状態へと自然現象は変化していくように見えるので、エントロピーは常に増大することになります（熱力学第二法則）。こういったボルツマンの稀代の発想に端を発して、統計熱力学という分野が創始されました。

しかし一九世紀後期はまだすべての科学者はドルトンの原子説を認めていませんでした。その結果、ボルツマンの主張は同国人のエルンスト・マッハらに強く批判され、精神を病んだボルツマンは一九〇六年に自殺しました。

3 電気を作る、電気を使う

〈1〉電池の開発と電気分解

❖ 静電気や雷や強電魚から湧いた電気への興味

イギリス人のウィリアム・ギルバート（一五四四～一六〇三）はティコ・ブラーエ（七七ページ参照）と同時代の科学者で、磁気の研究で知られています。その著書で地磁気や静電気について先駆的な見解を述べています。彼は電気と磁気を別のものと捉えていました。

その後、電気や磁気に関して興味を持った科学者は多く現れましたが、その中でもアメリカ人のベンジャミン・フランクリン（一七〇六～一七九〇）がとくに有名です。フランクリンは一七七六年の独立宣言の署名者五人の一人としてよく知られています。彼は嵐の日に凧を飛ばしてライデン瓶に静電気を蓄えることで、雷雲が帯電していることを証明しました。それに関連して、フランクリンは雷対策に尖った避雷針を推奨しましたが、独立宣言以来、彼を嫌っていたイギリス国王のジョージ三世は、イギリス内では先端が球状の避雷針を使うよう強制したというエピソードが残っています。

【図27】ライデン瓶に電気を溜めるベンジャミン・フランクリン（命にかかわるので決して真似をしないように！）

一八世紀後半には、産業革命で様々な技術革新が進んだイギリスよりもむしろ大陸側で電気に関する研究が進んでいました。静電気力が距離の逆二乗の法則を満たすことを発見したシャルル・ド・クーロン（一七三六〜一八〇八）はフランス人でした。また、イタリアでは、シビレエイ、デンキウナギやデンキナマズなどの強電魚だけでなく、どんな動物にも発電能力があると信じていたルイージ・ガルバーニ（一七三七〜一七九八）が動物電気の研究に没頭していました。

❖「動物電気」の追試から電池を発明

ガルバーニは、一七八六年のある日、解剖済みのカエルに金属メスを当てたとき、脚の筋肉がピクッと痙攣することを観察しました。その瞬間に別の部屋のライデン瓶に火花が飛んだことも知り、カエルが電気を発生させ、それがライデン瓶に作用したと考えました。

ただ、ガルバーニはもしかするとライデン瓶の放電が痙攣の原因ではないかとの疑念を持ち（実はこの考えが正しかった）、ライデン瓶の電気よりもはるかに強い雷を使って確かめようとしました。

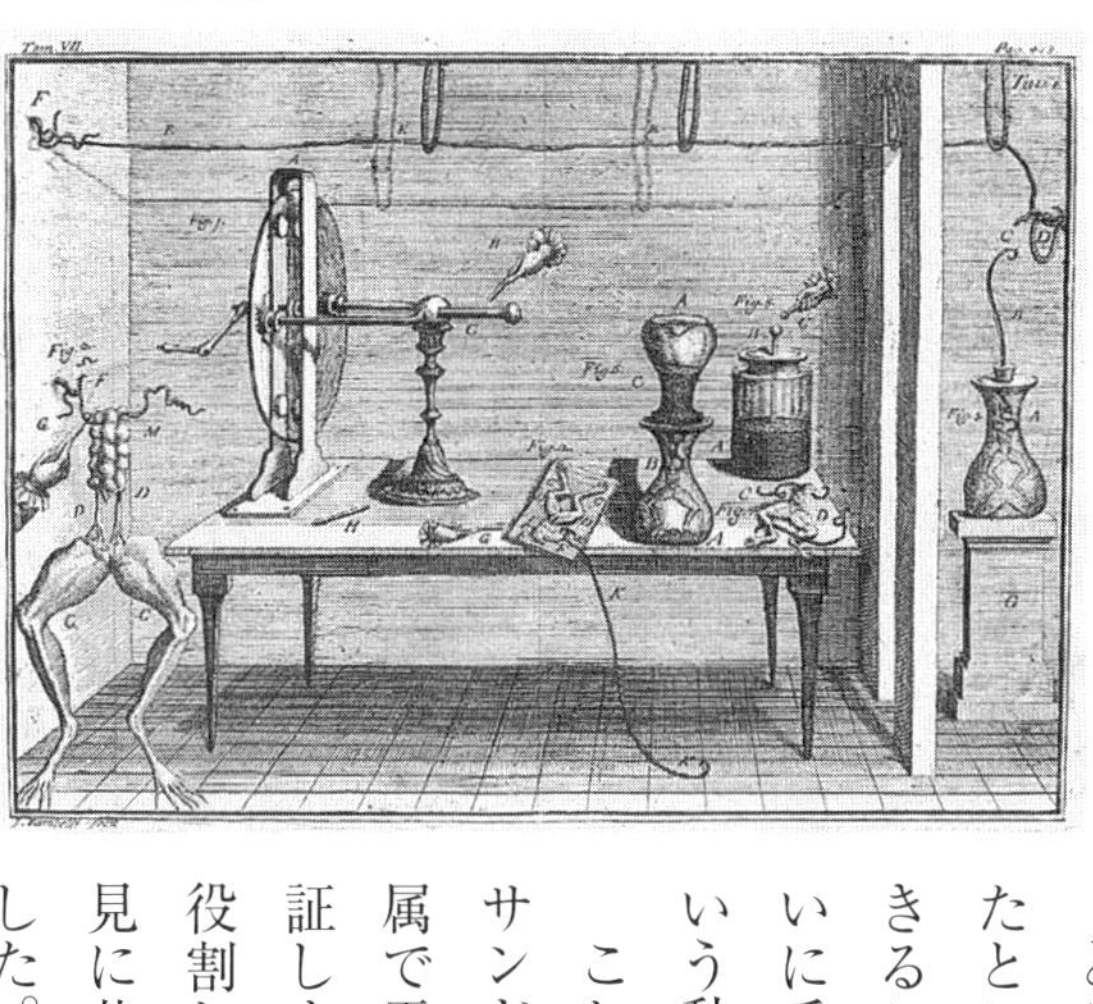

【図28】ルイージ・ガルバーニの動物電気の実験。左端の拡大図は、用いたカエルを描いたものである。

ところが、事前準備でカエルを鉄製の枠にぶら下げたところ、真鍮のフックで脚に触れるたびに痙攣が起きることを発見しました。ガルバーニは動物電気をついに手にしたと興奮し、生体組織が電気を発生するという動物電気説を主張しました。

これに対して、ガルバーニの実験を追試したアレッサンドロ・ボルタ（一七四五〜一八二七）は、二種類の金属で電解質溶液を挟めば電気が常に発生することを実証しました。つまり、カエルの脚は単に電解質溶液の役割しか果たしていなかったということです。この知見に基づいて、一八〇〇年にボルタは電池を発明しました。

ボルタの電池を利用して、イギリス人のハンフリー・デービー（一七七八～一八二九）は様々な電気分解実験を行い、溶液からカリウムなどの軽金属を固体として取り出しました。デービーは亜酸化窒素の麻酔の効果を調べたことでも知られています。

〈2〉電気と磁気の統合

❖ ファラデーがモーターと発電機を発明する

一八二〇年に、デンマーク人のハンス・エルステッド（一七七七～一八五一）は導線に電流を流したときに近くの磁石が振れることから、電流の周りに磁場が生じることを発見しました。さらに、アンドレ・マリ・アンペール（一七七五～一八三六）は電流と磁界の関係を明らかにしました。デービーの助手のマイケル・ファラデー（一七九一～一八六七）はエルステッドが発見した電磁気に興味を持ち、一八二一年に、小さな磁石の周りを針金で囲んだ装置を製作しました。その針金に電流を流すと磁場ができて、その中で小型磁石が回転を続けました。これがモーターの原型です。続いて、一八二九年には電磁誘導現象を発見し、一八三八年頃に回転する磁石が電流を発生させる発電機を製作しました。

ファラデーは、正電荷と負電荷の間の媒質に力の方向を示す力線を描くことで電磁気が作用する方向とその強さを表現しました。彼が電荷の周りの空間に歪みが生じるという場の概念を新たに持ち込んで、ニュートンの遠隔相互作用とは異なる近接作用の存在を提唱したことは極めて意義深いと言えます。

スコットランド人のジェームズ・クラーク・マックスウエル（一八三一〜一八七九）は、ファラデーが提案した場の概念を数学的な方程式にまとめました。これが電磁気学の基本法則を表すマックスウェルの方程式です。これにより、電磁気力が光と同じ速度で伝播する波であることが明らかになりました。彼の理論によって、電気、磁気、光が電磁波として統一されたのですが、その重要性をすべての科学者が正当に評価できるようになるのは二〇世紀に入ってからでした。

〈3〉電流戦争

❖ エジソン対ウェスティングハウス

一八七〇年代になり、工業規模で電気を供給できる高効率の発電機が開発されました。そして、工場では既存の蒸気機関や水力で発電機を動作させ電気を作ることができるようになりました。しばらくは、発電機を工場に隣接して設置して、作った電気をその場で消費して機械を動かしていましたが、その後、発電所と工場が離れていても電気を送電線で送ることができるようになりました。

そういった送電システムが普及するまでには、二人の技術者兼実業家であるエジソンとウェスティングハウスの長年続いた敵対関係があったことがよく知られています。一八八〇年代後半からの電力事業における二人の覇権争いは「電流戦争」と呼ばれています。

一八八二年にアメリカ人のトーマス・エジソン（一八四七〜一九三一）は、ニューヨークなどで直流による送電事業を開始しました。エジソンは蓄音機の発明（一八七七年）、白熱電球の発明（一八七九年）などで発明王として知られた人物でした。しかし、エジソンの直流送電では電圧を上げることが難しく、低電圧のまま輸送したため電力損失が大きくなるという問題がありました。

一方で、同国人のジョージ・ウェスティングハウス（一八四六〜一九一四）が主導した交流送電では昇圧は容易で、輸送に伴う電力損失は小さくなります。しかし、当時のモーターは交流では動かない点が致命的でした。そこで、ウェスティングハウスはエジソンの元を去ったクロアチア人電気技師のニコラ・テスラ（一八五六〜一九四三）に話を持ち掛けて、テスラの持つ交流モーターの特許の権利を取得しました。既にテスラは、一八八三年に位相の異なる交流を四個のコイルに互い違いに流し、中央の磁石を回転させるという二相交流モーターを実現していたのです。

一八九〇年代になり、アメリカとカナダの国境近くのナイアガラの滝で、滝近くの水力発電所から四〇km離れたバッファローまで長距離送電するという計画が生まれました。これは環境保護運動が盛んになり、滝のそばに乱立する工場群を一掃するプロジェクトが始まったからです。この計画の推進委員会は、二相交流モーターと高性能の交流変圧器を利用した電力損失の低い高電圧交流送電システムが優れていると判断し、ウェスティングハウス社と契約を結びました。これが潮目となり、その後各所で交流送電が採用されるようになりました。最終的にエジソンとウェスティングハウスの戦いは、ウェスティングハウス側の圧倒的な勝利に終わりました。

第9章　合成化学の発展と新物質の探求

1　一九世紀有機化学の隆盛

〈1〉生気論からの脱却

❖ 無機化合物から有機化合物を合成

ラボアジェ、ドルトン、アボガドロらが原子・分子や単体・化合物の概念を確立させ、反応する原子・分子の量的関係（化学量論）に基づいて化学反応を詳しく考察したことにより、多くの物質が発見され、その特質が研究されました。その中でも有機物は、構成元素の数は限られているが、その構造と性質は非常に複雑で種々雑多であることから、系統的に理解していくことが必要ということが次第に明らかになってきました。

前述（三二ページ、三八ページ）したように、ギリシャ時代から生物や生命には物理や化学の法則では説明しきれない、何らかの統一原理が存在するという「生気論」という考え方が存在しました。アリストテレスの「プシュケ（霊魂）」やガレノスの「精気（プネウマ）」などが生命現象を司っている特別なものとされたのです。そのため生物が生産できる有機化合物は、実験室では合成できないと信じられていました。

しかし一八二八年、ドイツ人のフリードリッヒ・ヴェーラー（一八〇〇～一八八二）はシアン酸アンモニウムを合成する過程で、生物有機化合物の尿素（示性式（$H_2N)_2C=O$）を合成することに初めて成功しました。尿素は、肝臓において、たんぱく質の分解生成物であるアンモニアを無毒化して体外に排出する段階で作られます。無機化合物のシアン酸銀と塩化アンモニウムを原料として尿素が合成されたことで、有機化合物は生物にしか作り出すことができないという「生気論」が根拠のないものであることが明確に示されました。

❖ 異性体や官能基の発見

ドイツ人のユストゥス・リービッヒ（一八〇三～一八七三）は、組成が同じでも性質が全く異なる有機化合物を発見し、分子の中の原子の配列や構造の違いが多様性を生み出していると考えました。これが異性体の発見です。また、分子の中の原子集団がまとまって機能的に振る舞うという官能基も発見されました。ギーセン大学の彼の研究室は有機化学のメッカとなり、そこから多くの著名な化学者が巣立っていきました。

一八世紀前半には、その頃提出されていた電気化学的な結合が、有機化合物の結合の本質とは

【図29】炭素と水素を含む有機分子の結合様式

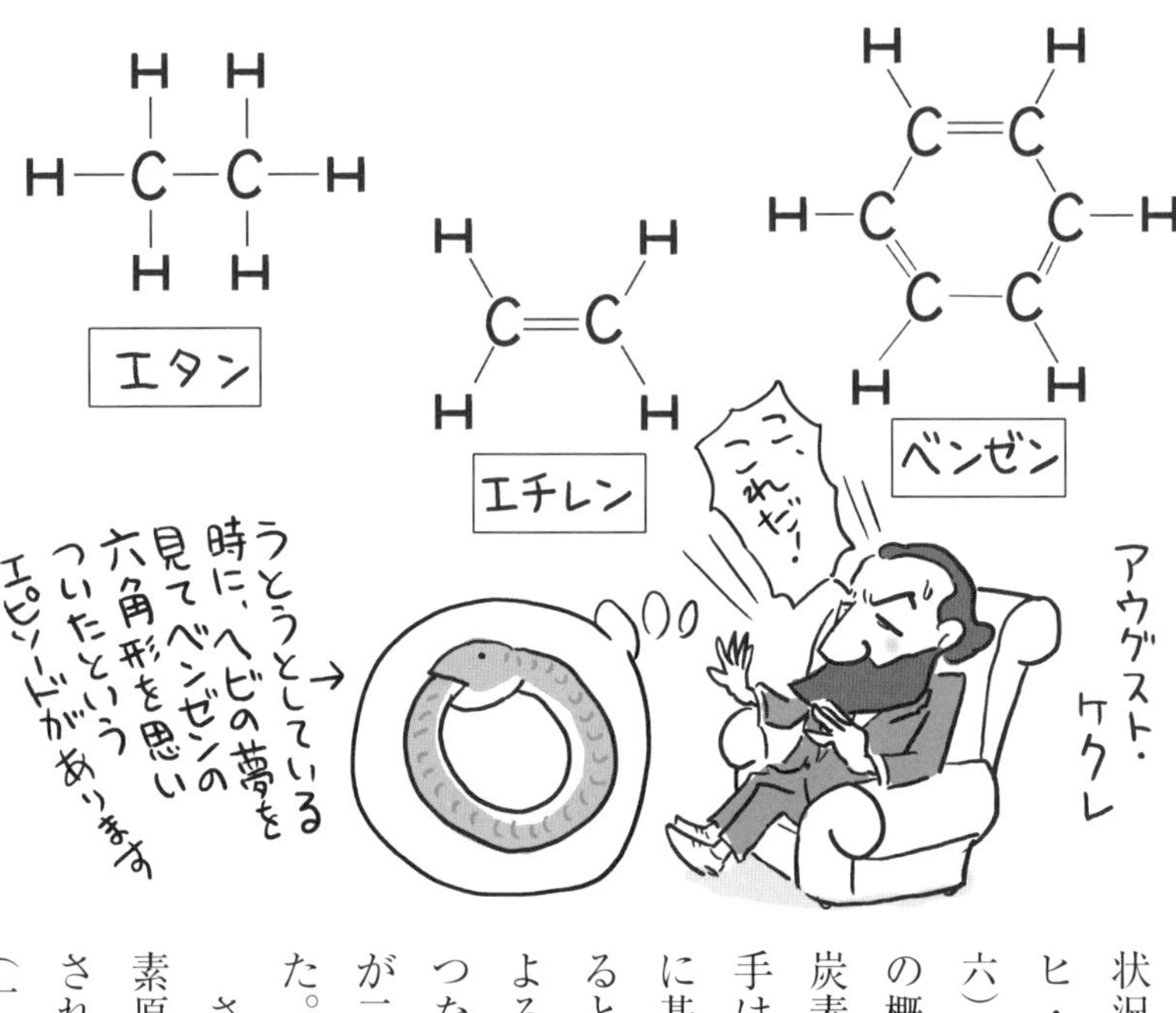

考えにくく、議論が紛糾していました。その状況で、リービッヒに師事したフリードリッヒ・アウグスト・ケクレ（一八二九〜一八九六）は、炭化水素の研究から、新たに原子価の概念を編み出しました。彼の理論によれば、炭素の原子価は四であり、炭素原子の結合の手は四本であるということになります。それに基づいて、一八五八年に炭素同士が鎖を作るという結合モデルを提出しました。それによると、エタンC_2H_6は二個の炭素が単結合でつながっていて、エチレンC_2H_4は二個の炭素が二重結合でつながっていると解釈されました。

さらにベンゼンC_6H_6については、六個の炭素原子が六角形の輪を作ることで分子が形成されるというアイデアを初めて提唱しました（一八六五年）。ベンゼンの炭素原子はこの六角形の頂点に位置し、二重結合と単結合が互い違いにつながって六本の辺となります。このやり方ならばどの炭素も結合の手を四本持つことになり、彼の原子価の理論に矛盾しません。

ケクレは、まだ電子の存在が見つかっていない当時において、分子中の原子の配置や原子同士の結合様式を洞察し、それらが分子の性質に深く関わっていることを明らかにしました。彼は今日まで続く化学構造学の先駆者ということができるでしょう。

〈2〉有機合成で新しい産業を興す

❖ パーキンがモーヴを合成

約二〇〇年前に紫色の染料は天然の巻貝から生産されていました。

イギリス人のウィリアム・パーキン（一八三八～一九〇七）はマラリアの特効薬であるキニーネ$C_{20}H_{24}N_2O_2$をコールタールから合成しようとして、アウグスト・ホフマン（一八一八～一八九二）の指導の下で実験を続けていました。あるときコールタール中のアニリンからできた黒色物質をアルコールに溶かすやり方で、紫色の物質（モーヴ）を合成し、抽出することに成功しました。

パーキンは、この物質から染料を作ればそれを売り出すことができると考え、ホフマン研究室を離れ父からの資金援助で工場を設立しました。

ホフマンはこの行動に失望しましたが、ビクトリア女王が娘の結婚式に出席した際にモーヴで染めた服を着用したなどの効果で、モーヴは一躍ロンドンの流行色になりました。パーキンはモーヴ以外にも多種類の合成色素を開発し、大量に生産したおかげで巨万の富を築きました。

❖ 有機化合物産業が急速に発展

人工染料は人々の暮らしを彩り、生活を豊かにしました。パーキンの開発研究は化学製品の開発と商品化のビジネスモデルの先駆けであり、彼の成功が世界の産業に与えた影響は絶大でした。

ドイツ人のアドルフ・フォン・バイヤー（一八三五〜一九一七）は天然の植物から取れる藍色染料のインディゴを分析し、一八八二年にo-ニトロベンズアルデヒドとアセトンの反応からインディゴを合成しました。工業的にはBASF社とHöchst社によって一八九〇年にN-フェニルグリシンを用いるホイマン-プレガー法が開発され、天然インディゴは合成インディゴにとって代わられました。

一九世紀後期には上記の合成色素以外にもダイナマイト、合成繊維、合成医薬品など様々な有機化合物が合成され、それらを製造する産業が急速に発達しました。

【図30】1890年当時の合成インディゴ製造工場
BASF社の資料から。

2 人間生活への無機物質の利用

〈1〉アンモニアの製造――ハーバー・ボッシュ法

❖ 成功の鍵は窒素解離触媒の開発

一九世紀末、世界の人口の急増に伴って農作物の供給量が不足して、将来は飢餓が訪れるかもしれないと心配されていました。

農作物の収穫量を増やすためには硫安(硫酸アンモニウム)や尿素などの窒素肥料の生産速度を上げる必要があります。当時、肥料の原料であるアンモニアは天然の硝石を原料にしてつくられていましたが、硝石の採掘量には限度がありました。

一九〇四年、フリッツ・ハーバー(一八六八~一九三四)はカール・ボッシュ(一八七四~一九四〇)と協力してアンモニア合成のための手法を開発しました。このハーバー・ボッシュ法では、空気中にいくらでもある窒素と、メタンから得られる水素を原料としています。

成功の鍵となった点は、三重結合を持つ極めて安定な窒素分子を解離させるための触媒を、ボッシュが探り当てたことにあります。初期には、窒素解離の活性化エネルギーを下げるには微量のアルミナと酸化カリウムを含む磁鉄鉱が触媒として使われましたが、現在でも同様の鉄触媒が用いられています。

ハーバーにはアンモニア合成法の開発に対して一九一八年に、ボッシュにはその工業的な大量生産を可能としたことに対して一九三一年にノーベル化学賞が授与されました。

ハーバー・ボッシュ法により、増え続ける人口を支えるための肥料が大量生産できるようになりました。なお、アンモニアは化学肥料だけでなく、火薬の原料にもなります。ハーバー・ボッシュ法のおかげで、ドイツではチリ硝石の輸入に依存せず、火薬と肥料を生産できるようになりました。その結果、ドイツは第一次世界大戦時でも弾薬を製造することが可能であったと言われています。

〈2〉酸と塩基の工業的製法

❖ 接触法による硫酸の製造

一九世紀後半になると、合成染料製造工程で酸化物として必要な硫酸の需要が高まりました。これまでの緑礬（りょくばん）（硫酸鉄）を空気中で加熱して濃硫酸を作るという方法ではその需要に応えられなかったため、一八九八年にドイツのＢＡＳＦ社の技術者ルドルフ・クニーチ（一八五四～一九〇六）が接触法を開発しました。その手順は、まず硫黄と酸素を反応させて二酸化硫黄を生成させ、触媒の存在下で二酸化硫黄を三酸化硫黄に変換し、三酸化硫黄を濃度九八％の硫酸に加えて発煙硫酸とし、それに水を加えて九八％濃硫酸とするというものです。初期のころは白金触媒を用いていましたが、触媒の劣化の問題があり、現在では五酸化バナジウムが用いられています。

❖ 炭酸ナトリウム製造法を開発

塩基の基本物質である炭酸ナトリウムの工業的製造法は、一八六一年にベルギー人のエルネスト・ソルベー（一八三八～一九二二）によって開発されました。この製法は反応に高温を要せず燃料費がかからない上に、原料費が安価で生成物の純度が高いため、化学工業の重要な一部門になっています。この方法は原料にアンモニアを用いることからアンモニアソーダ法とも呼ばれ、次の①から⑤の五つの化学反応で説明されています。

①塩化ナトリウム飽和水溶液にアンモニアを吸収させてから二酸化炭素を吹き込むと、比較的溶解度の小さな炭酸水素ナトリウムが沈殿します。この反応により塩化アンモニウムも生成します。

②沈殿した炭酸水素ナトリウムを分離して焼き、炭酸ナトリウムを得ます。

③原料の炭酸カルシウムを熱分解させ、二酸化炭素と酸化カルシウムを得ます。

④反応③で得た酸化カルシウムに水を作用させると水酸化カルシウムが得られます。

⑤反応①で生成した塩化アンモニウムに④で得られた水酸化カルシウムを反応させて、アンモニアと塩化カルシウムを得ます。

本節で述べた酸と塩基の工業的製造法は、工程が簡単で製品の純度が高く品質が優れているため、まもなく世界中に広がっていきました。こういった物質は、現代の化学工業においても、肥料、薬品、ガラス、洗剤、食品添加物、化粧品などの主原料として幅広く利用されており、人々の生活に深く関わっています。

第10章　二〇世紀の物理学

1　アインシュタインと相対性理論

❖ 時間、空間は不変ではない

ドイツ人のアルベルト・アインシュタイン（一八七九〜一九五五）は一九〇五年に特殊相対性理論を発表しました。それにより、ニュートン力学に相対性原理に基づく時空の概念を加えることで物理学体系の変革に成功しました。

特殊相対性理論によれば、「質量、長さ、同時性といった概念は、観測者のいる慣性系によって異なる相対的なもの」であり、「唯一不変なものは光速度のみである」とされています。慣性系については、八二〜八三ページを参照してください。アインシュタインの理論は、後述のとおり、航空機に載せた原子時計の進みがごく僅かだけ遅れるという実験結果からすでに証明されています。

このように、時間や空間は絶対的に不変であるとしてきたニュートン力学が正確ではないこと

【図31】全地球測位システムGPSの原理

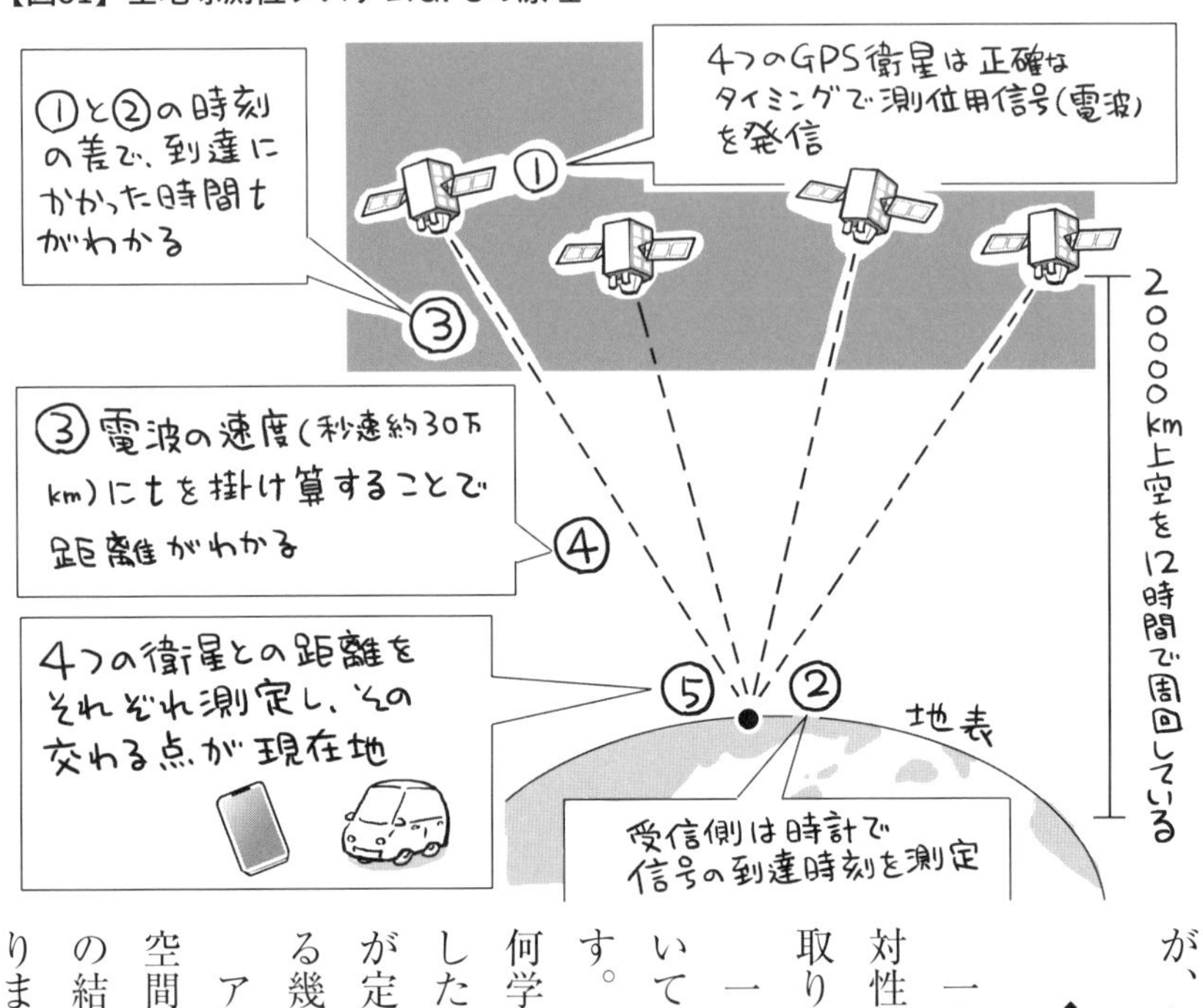

が、相対性理論によって明らかとなりました。

❖ 重力によって時間も変化する

一九一六年にアインシュタインは、特殊相対性理論を発展させて、加速度運動と重力を取り込んだ一般相対性理論を発表しました。

一般相対性理論では、リーマン幾何学を用いて重力場による時空の歪みを記述しています。このリーマン幾何学は、ユークリッド幾何学（一三三ページ参照）の平行線公理を取り外した非ユークリッド幾何学の一つです。微分が定義できるような滑らかな位相空間における幾何学ということもできます。

アインシュタインによれば、重力によって空間が曲がれば、そこを通る光も曲がり、その結果として時間も変化してしまうことになります。実例として、携帯電話やカーナビゲーションシステムなどに使われている全地球測位システム（ＧＰＳ）を取り上げて説明しましょう。

地表の我々に比べて、地上二〇〇〇〇㎞を秒速四㎞で航行しているＧＰＳ衛星の時間は、相対性理論による影響を受けます。まず高速で運動することの影響で、地表の時計に比べて衛星の時計は一秒当たり約一〇〇億分の一秒弱遅くなります。一方で地表に比べて、重力が小さいので、地表の時計に比べて衛星の時計は一秒当たり約一〇〇億分の五秒だけ早くなります。

この二つの効果が相殺することで、一日当たりおよそ三八マイクロ秒だけ衛星の時計が進むことになり、人工衛星の位置としては動径方向に一一㎞程度、軌道方向に一五㎝程度の誤差を生じることになります。そこで、ＧＰＳには時間のずれを正確に補正する仕組みが備えられているのです。

❖ 宇宙の膨張

天文学においては、一般相対性理論の帰結として「宇宙は膨張または収縮をしている」ということになります。しかし、アインシュタインは、宇宙が静的であるという二〇世紀初期に支配的だった考えに合わせるために、場の方程式に宇宙項と呼ばれる定数を加えました。この宇宙項は重力の影響を相殺するので、膨張・収縮のない宇宙と一般相対性理論を両立させることは理論上可能だとしました。

ところがその後、エドウィン・ハッブルらの天文観測によって、宇宙は膨張していることが確認されました（一七五ページ参照）。また、相対性理論の重力場方程式を解くことで、ブラックホールの存在や巨大な重力場による時間の遅れなども予測され（一九一六年、カール・シュワルツシルトによる）、のちにその実在が検証されました。

もう一つのアインシュタインの代表的業績として、光が電磁波として波の性質を持つと同時に、光子として粒子の性質も持つという光量子仮説があります（一九〇五年）。これにより、一八九〇年代に発見された光電効果が理論的に説明されました。アインシュタインの光量子仮説は、ミクロな原子の世界でエネルギーは飛び飛びになっているという初期量子論の礎になりました（一六二ページ参照）。しかし、量子力学自体については、粒子の存在が確率論的で不確定であることに対して「神はサイコロを振らない」と反論し疑問視する立場をとり続けました。

相対性理論と光量子仮説以外にもアインシュタインは、ブラウン運動の理論（一九〇五）、固体の比熱の理論（一九〇七）、ボーズ＝アインシュタイン凝縮の予言と量子統計力学の創生（一九二五）など、物理学の全領域にわたり多大な業績を残しました。

2 ミクロの世界と量子力学

〈1〉X線の発見と結晶構造解析

❖ レントゲンが電磁波を発見

ドイツ人のヴィルヘルム・レントゲン（一八四五〜一九二三）は、一八九五年にガラス製の陰極線管の内部の二本の白金電極間に高電圧をかけて陰極線を発生させる実験をしていました。陰極線は電子の流れですが、まだ当時はその正体が何かは研究途上の状況でした。微弱に光る陰極線を見逃さないために、レントゲンは陰極線管全体を黒いボール紙で覆い、室内灯を消して実験をしていました。

彼はある日、一m近く離れたシアン化白金バリウムを塗布した蛍光紙がぼんやりと光っているのを見つけました。そもそも陰極線（電子のビーム）はアルミ箔なら通過することができるがガラスやボール紙は通らないし、空気中でも数cmしか進めないことが分かっていました。したがって、電子以外の極めて透過力の強い電磁波がガラス壁とボール紙を通り抜けて、離れた場所の蛍光紙を光らせたことになります。レントゲンは寝る間を惜しんでこの電磁波の性質を調べた後で、ついに写真乾板で人間を撮影するというアイデアを思いつきました。妻の手のひらで実行したところ、乾板上に骨の像が現れました。

現代の知識に照らせば、レントゲンが探り当てたこの電磁波は陰極線管から輻射された白金の特性X線（励起された電子の緩和過程で放出される電磁波）と考えられます。こうして発見されたX線は世界中に大きなブームを巻き起こし、まもなく分子構造解析、医療現場での画像診断、X線天文学などで盛んに利用されるようになりました。また、X線の発見は、電子、原子、原子核などを対象として、その後、半世紀にわたり隆盛を極めたミクロな世界の研究の先駆けとなりました。

自然科学史において、このX線発見の物語は、偶然がもたらした自然科学のブレークスルーあるいはセレンディピティの典型例として常に取り上げられます。しかし、一八八〇年頃から一五年以上ものあいだ陰極線管を用いて実験していた研究者が沢山いたことを思えば、ぼんやり光る蛍光紙を見逃さずに徹底的に調べ上げたレントゲンが歴史に名を残すことになったことは当然と言えるかもしれません。

❖ X線結晶学の始まり

レントゲンによるX線発見の後、一九一三年にウィリアム・ヘンリー・ブラッグ（一八六二〜一九四二）とウィリアム・ローレンス・ブラッグ（一八九〇〜一九七一）は、X線を固体結晶の構造解析に利用しました。これがX線結晶学の始まりです。結晶中では原子が一Å（オングストローム）程度の距離で周期的に並んでいます。そのためX線をいろいろな角度から結晶に当てると、電磁波の干渉効果により特徴的なパターンが生じます。ブラッグ父子はこういったX線の回折パターンから、結晶中の原子の三次元配列を決定できることを明らかにしました。このX線構造解析法は結晶中の原子配列だけでなく熱振動や電子密度分布の情報まで与えてくれるので、現在では様々な物質を対象にした汎用分析手段として揺るぎない地位を築いています。

X線結晶学の先駆者として、エジプト生まれのイギリス人化学者のドロシー・クロウフット・ホジキン（一九一〇〜一九九四）を挙げることができます。ホジキンは、ペニシリン、ビタミンB_{12}、インスリンなどの生物学的に重要な分子の構造を決定しました。彼女は、当時最新のコンピュータを利用することで構造データの高速数学処理を実現したことでもよく知られています。

〈2〉原子の構造

❖ 電子の発見と放射性元素の研究から原子物理学の誕生へ

イギリスのケンブリッジ大学キャベンディシュ研究所のジョセフ・ジョン・トムソン（一八五六〜一九四〇）は一八九四年頃から陰極線を用いた一連の研究を行いました（一一八ページおよび前節参照）。一八九七年に、トムソンは陰極線中の粒子の負電荷および質量を測定し、原子よりもはるかに小さな粒子が存在し、それが原子の構成要素であることを証明しました。これが電子です。

原子を構成するそれ以外の粒子、すなわち原子核、陽子および中性子は二〇世紀に入ってから発見されました。こういったミクロの世界が明らかになったことには、放射性元素の発見と分析が深く関わっています。

ウランなどの放射性元素はα線（アルファ線）、β線（ベータ線）、γ線（ガンマ線）と呼ばれる放射線を輻射することが知られています。こういった放射線の性質は、二〇世紀の初頭に、アンリ・ベクレル（一八五二〜一九〇八）、キュリー夫妻［ピエール・キュリー（一八五九〜一九〇六）とマリー・キュリー（一八六七〜一九三四）］らによって盛んに研究されました。さらに、キュリーらは放射能を持つポロニウムやラジウムなどの新元素を発見しました。

❖ 原子の内部が明らかになる

一八九八年に、ニュージーランド人のアーネスト・ラザフォード（一八七一〜一九三七）はウランの放射性崩壊を観測し、α線とβ線を分離してその素性を突き止めることに成功しました。電場や磁場を使った実験で、α線はラザフォードが高速のヘリウム原子核であると結論し、β線はベクレルが高速の電子線と結論しました。

さらにラザフォードは一九一一年の、α線の金箔による散乱実験から、原子が単一粒子ではな

【図32】アーネスト・ラザフォードの金の原子核によるα線の散乱実験

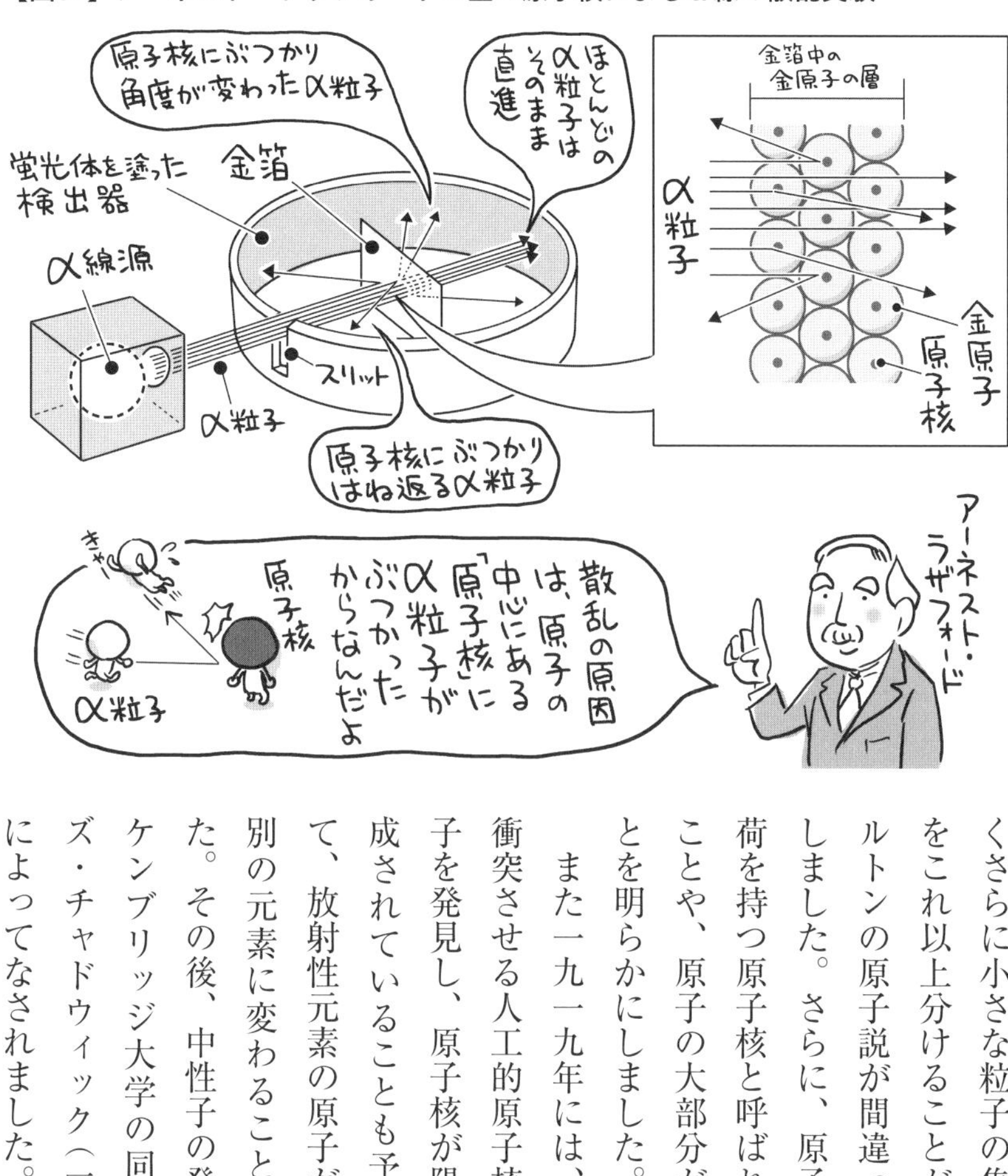

くさらに小さな粒子の集合体であり、原子をこれ以上分けることができないというドルトンの原子説が間違っていることを証明しました。さらに、原子の中心には正の電荷を持つ原子核と呼ばれる微小粒子があることや、原子の大部分が空の空間であることを明らかにしました。

また一九一九年には、α線を窒素分子に衝突させる人工的原子核変換実験からは陽子を発見し、原子核が陽子と中性子から構成されていることも予言しました。そして、放射性元素の原子が放射線を放出して別の元素に変わることを明らかにしました。その後、中性子の発見は一九三二年にケンブリッジ大学の同僚であるジェームズ・チャドウィック（一八九一〜一九七四）によってなされました。それにより、同じ

【図33】中性子衝突によるウラン235の核分裂連鎖反応

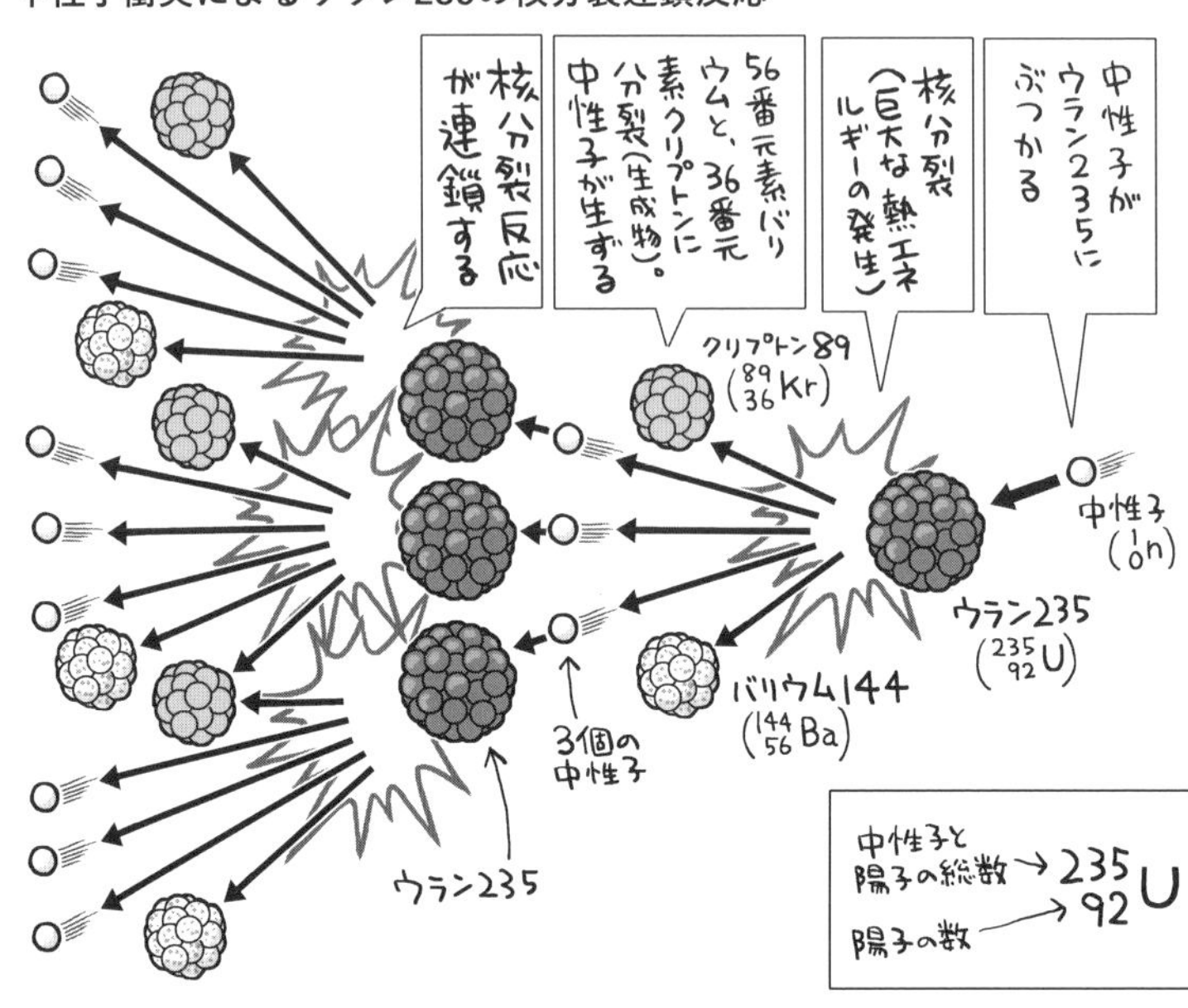

元素の原子なのに原子量が異なる同位体が存在する理由は、原子核中の中性子の数が異なるためであると解釈されました。

❖ やがて原子力発電、原子爆弾へ

一九三八年、ドイツ人のオットー・ハーン（一八七九～一九六八）とフリッツ・シュトラスマン（一九〇二～一九八〇）は質量数二三五のウランに低速中性子を照射すると、五六番元素バリウムと三六番元素クリプトンに分裂し、同時に大きな熱エネルギーと複数の中性子を生ずることを初めて発見しました。

オーストリア人のリーゼ・マイトナー（一八七八～一九六八）とオットー・フリッシュ（一九〇四～一九七九）らは、この現象が核分裂反応であることを理論的に検証しました。

エンリコ・フェルミ（一九〇一～一九五四）

は核分裂連鎖反応を制御する方法を確立させ、それはやがて原子力発電へとつながっていきます。一方、当時の世界大戦の状況下、マンハッタン計画のもとで、核分裂反応で生ずる莫大なエネルギーを利用した大量破壊兵器（原子爆弾）の開発もなされたのです。

〈3〉量子力学の誕生と発達

❖プランクの量子仮説とボーアの原子模型

ミクロの世界の粒子の運動法則が量子力学であり、その産声は一九〇〇年のマックス・プランク（一八五八～一九四七）の熱放射の理論に遡ります。熱放射は物体中の粒子の熱運動によって起こり、放射される電磁波の波長はある範囲に分布します。一九世紀末にはエジソンの発明した白熱電球の高効率化が産業界の課題になっていました。また、溶鉱炉中の鉄の温度を正確に測りたいという要望もありました。このように、多くの研究者が高温物体から放射される電磁波の強度の波長分布がどうなるかに関して興味を持っていました。

研究者達は放射場のエネルギー密度を古典論の枠組み内で理解しようとしました。その際に、物体の中で電磁波が定在波となり、その定在波一つひとつのエネルギーを温度だけで決まる一定値と仮定しました。定在波というのは、物体の端と端で値がちょうどゼロとなるようなきれいな正弦波（サイン波）が該当します。

しかし、計算結果は特に短波長側の熱放射が発散してしまい、正しい波長分布を与えてくれませんでした。

プランクはエネルギーが不連続で飛び飛びの値を取るという量子仮説を導入すればうまく説明ができることに気付きました。一九〇五年のアインシュタインの光量子説よりも五年前のことでした。

また後年、発見されたX線のコンプトン散乱もこの量子仮説で解釈されました。コンプトン散乱とは、X線を物体に照射した際にX線が散乱される現象です。散乱されたX線の中に、照射されたX線よりも波長が長いものが含まれますが、X線を粒子と捉えれば散乱角と波長のずれの関係を正しく説明できます。

プランクの量子仮説とラザフォードの実験結果を基にして、デンマーク人のニールス・ボーア（一八八五～一九六二）は独自の原子模型を一九一三年に考案し、電子が原子核を中心として、飛び飛びのエネルギー準位に対応するいくつかの軌道に分かれて運動していると考えました。その際に、安定な軌道を取りうる条件、別名「ボーアの量子条件」を課すことで水素原子の吸収と発光のスペクトルを理論的に説明しました。

また、ラザフォードが発見した正の電荷を持つ原子核が原子の中心にあり、その重さが原子量と一致し周期表での原子の位置を決定すると考えました。ボーアの研究により、量子仮説はもはや仮説ではなく原子の正しい描像を与えていると認められ、量子論と呼ばれるようになりました。

❖ シュレーディンガーの波動力学

ドイツ人のヴェルナー・ハイゼンベルグ（一九〇一～一九七六）はボーアの協力も受けつつ、一九二五年に行列力学を開発しました。この量子論では運動量や位置などの観測量が行列で表現されています。続いて、一九二七年にハイゼンベルグは不確定性原理を発表しました。彼によると、ニュートン力学では運動量や位置はある時点において確定した値を持ちますが、不確定性原理に従うミクロの世界では運動量と位置は同時には確定されません。ハイゼンベルグは、その理由を、一方を測定することが他方に影響を与えてしまうからだと説明しました。

同時期に、フランス人のルイ・ド・ブロイ（一八九二～一九八七）は一九二四年の博士論文で物質波の仮説を提案しました。ド・ブロイは、本来は波である光が粒子としての性質を兼ね備えているのと真逆で、本来は粒子と見なされているものでも波としての性質を兼ね備えていると考えました。特に、電子のように質量の小さな粒子は、全体のふるまいの中で波の特性が重要な割合を占めていることが分かりました。

オーストリア人のエルヴィン・シュレーディンガー（一八八七～一九六一）は、ド・ブロイによる物質波の概念を、原子中の電子に巧みに適用して、電子の軌道とエネルギー準位を計算することができる波動力学を一九二六年に発表しました。

シュレーディンガーの理論は高度に数学的であり、ここで詳しく説明することは避けてその要点だけを説明しましょう。彼の方程式を解けば、電子の波動関数とエネルギーを求めることができます。波動関数は、ボーアの原子模型における軌道にほぼ対応しています。原子中の特定の点で電子が観測される確率は、その点での波動関数の形状で決まることになり、具体的には、波の振幅が大きいところで電子の存在確率は大きくなります。たとえば水素原子の1s軌道と呼ばれる波動関数は球対称であり、原子核の近くでその1s電子を見出す確率が最大となります。

その後一九二六年に、ハイゼンベルグの行列力学とシュレーディンガーの波動力学とが数学的に同等であることをシュレーディンガー自身が証明しました。

❖ 電子が対を成すことで化学結合が形成される

量子力学は化学者にも次第に浸透していきました。一九三〇年頃の草創期は、量子力学を使って化学結合の本質を理解することが中心課題であり、アメリカ人のライナス・ポーリング（一九〇一〜一九九四）とロバート・マリケン（一八九六〜一九八六）が問題解決に向けて中心的な役割を果たしていました。

ポーリングは共鳴と混成軌道の概念を提唱し、さらに原子価結合法を考案しました。この原子価結合法とは、隣接する原子に挟まれた空間で、電子が一個詰まっている波動関数が重なり合うことによって電子の対ができ、その結果として化学結合が形成されるという理論です。こういった結合を共有結合または電子対結合と呼びます。化学結合に関わる電子は原子核から離れた一番外側の軌道に収容された電子であり、価電子と呼びます。

二〇世紀中盤以降、これまで解釈が困難だった分光データや化学反応現象が、量子力学を背景とした分子軌道理論[※a]、軌道対称性理論[※b]、フロンティア軌道理論[※c]、遷移状態理論[※d]などによって合理的に説明できることが分かってきました。コンピュータの性能が著しく進歩したこともあり、現在では新規物質の設計や合成および新機能の発現には、量子化学計算による予測が不可欠になっています。

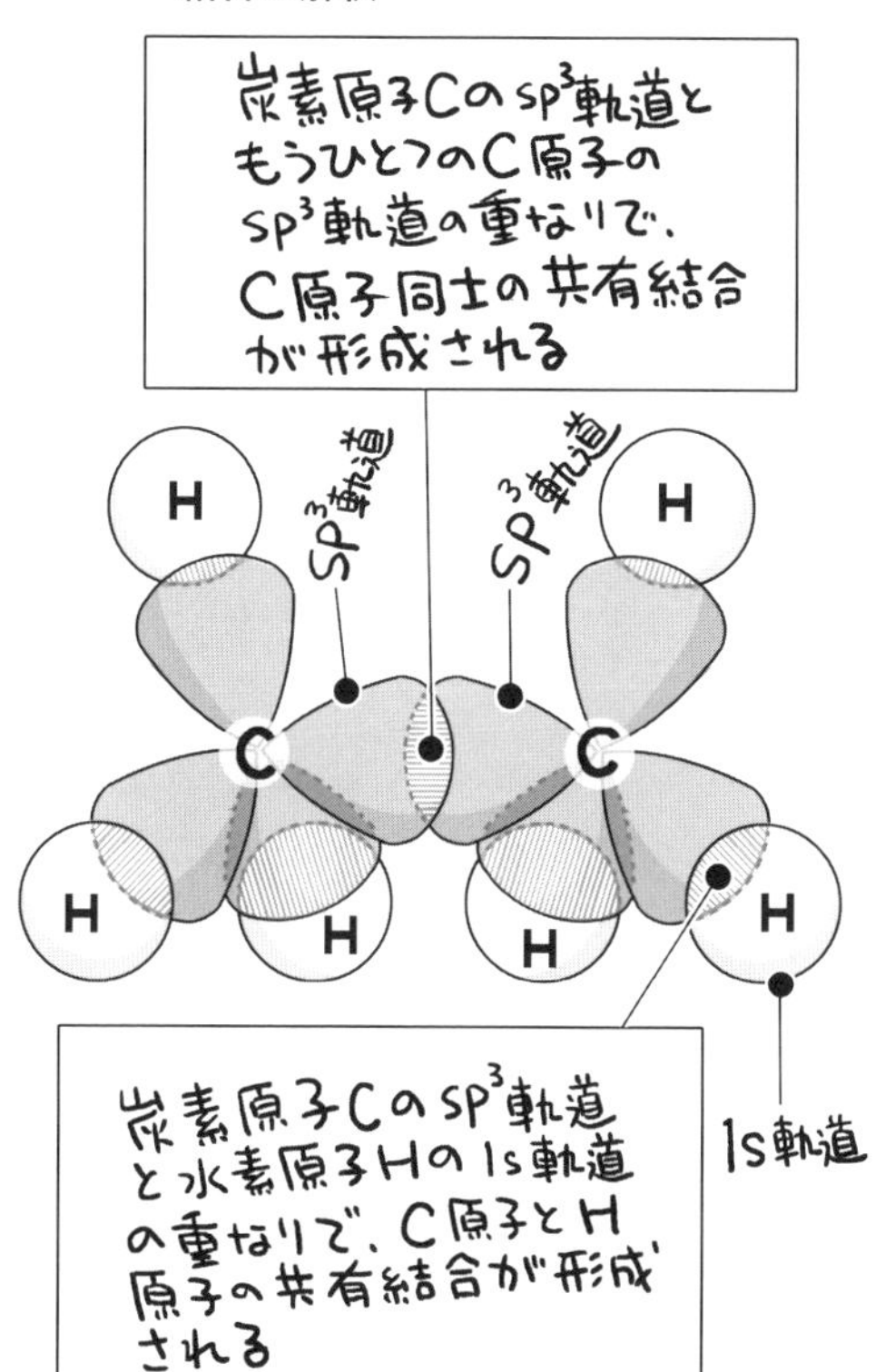

【図34】原子価結合法によるエタン分子の化学結合の解釈

※ａ　分子軌道理論　量子化学の方法論の一つ。マリケンらによって確立された。最初に、分子の中の原子核の位置を固定したシュレーディンガー方程式を解く。その際に、それぞれの電子がすべての原子核と他の電子によってできるポテンシャル場内を動くと考えて、その電子の存在確率を表す波動関数（分子軌道。ＭＯという）および軌道エネルギーを求める。次に、その軌道エネルギーの下での原子核の運動やエネルギー状態を定める。

※ｂ　軌道対称性理論　ロバート・ウッドワードやロアルド・ホフマンらが考案した化学反応理論。熱や光によって誘起される化学反応の立体選択性が、関与するＭＯの対称性によって決まる。

※ｃ　フロンティア軌道理論　福井謙一の考案した化学反応理論。反応物のＨＯＭＯと反応相手のＬＵＭＯのエネルギー差、空間的広がり、対称性によって反応の進みやすさが決まる。ここでＨＯＭＯとは電子が詰まったＭＯのうち最もエネルギーが高いＭＯのことであり、ＬＵＭＯとは電子が空のＭＯのうち最もエネルギーが低いＭＯのことである。

※ｄ　遷移状態理論　ヘンリー・アイリングとマイケル・ポラニーらによる化学反応理論。化学反応の速度を、反応物と反応途中の活性化状態の平衡に基づいて解釈する。化学反応のポテンシャル曲面が分かれば、反応速度を予測することが可能となる。

第11章　新素材の開発研究

1　機能を持つ高分子

❖ カロザースは合成ゴムと合成繊維を開発した

ウォーレス・カロザース（一八九六〜一九三七）は一九二七年にデュポン社で高分子化合物の研究を始めました。カロザースの部下のコリンズが2-クロロ-1,3ブタジエンの単離に成功し、その液体を重合させて重合体にすることで合成ゴムであるネオプレン（クロロプレン）を開発しました。この場合、クロロプレン分子は、重合体内の一単位分に相当するので、単量体と呼びます。また は、単量体をモノマー、重合体をポリマーと呼ぶこともあります。ネオプレンはトランス結合の割合が高く、耐候性・耐熱性・耐油性・耐薬品性のバランスが取れており加工も容易であるため、ベルトコンベアやウェットスーツなどに使われています。

高分子化合物の分子量を当時の最大値の約四〇〇〇から一〇〇〇〇以上に増大させるためには、重合反応の逆反応を防ぐ必要がありました。そこで、カロザースらは真空下の反応が可能な分子蒸留装置を製作しました。一九三四年には部下のヒルがジアミンと二価酸の重縮合によって分子量一二〇〇〇以上のポリアミドを合成しました。水素結合によって結晶質の領域を形成できることから機械的特性が変化して、工業製品への加工のしやすさや加工物の耐久性などが向上しました。

一九三五年には、カロザースはヘキサメチレンジアミンとアジピン酸から約一四gのポリマーであるポリアミド6,6を合成し、これをナイロンと名付けました。一九三八年にナイロンが「石炭と水と空気から作られた、完全な人工繊維」として発表され、人々に衝撃を与えました。絹よりも安価で細く丈夫なナイロンはすぐに注目の的となり、一九四〇年にアメリカで製品化されたナイロンのストッキングは五〇〇万足がわずか四日間で売り切れるほどの人気ぶりだったそうです。

❖ テフロンは偶然の産物だった

一九三八年アメリカのデュポン社の化学者ロイ・プランケット（一九一〇〜一九九四）は冷蔵庫のフロンガスの冷媒について研究していました。中間化合物のテトラフルオロエチレンを作ろうとしていたときに、気体が重合してポリマーが生成しました。このポリマーは耐薬品性や耐熱性などに顕著な特性を備えており、商標登録されテフロンと呼ばれるようになりました。

当初、製造コストが高くつきテフロンの商品化は危ぶまれましたが、米軍のマンハッタン計画で（一六一ページ参照）、質量数二三五のウランを濃縮する際に用いる六フッ化ウランを運搬するための容器やパイプ、バルブなどへ利用されました。その後テフロンの製造工程は効率化され、一般の人々にも手の届く価格で生産できるようになりました。

❖ 日米間の共同研究による導電性ポリマーの開発

一九七〇年代、アラン・マクダイアミッド（一九二七～二〇〇七）、白川英樹（一九三六～）、アラン・ヒーガー（一九三六～）の三人はポリアセチレンに電子アクセプターを添加することで、導電性ポリマーの開発に成功しました。窒化硫黄ポリマーの導電性に取り組んでいたマクダイアミッド、金属・絶縁体転移を理論的に研究していたヒーガー、ポリアセチレンフィルム薄膜の作製方法を開発していた白川の三人が偶然のきっかけで共同研究を始めたことがこの成功につながったのです。彼らが作り出した材料は、電気的または光学的には金属の性質に似ていながら、機械的性質や加工のしやすさではプラスチックと同じ、という今までは存在しなかったものでした。

2 ナノスケール薄膜によるデバイス開発

〈1〉フラーレン

❖ 炭素原子から成るサッカーボール状の分子

一九八五年にアメリカ人のリチャード・スモーリー（一九四三〜二〇〇五）とロバート・カール（一九三三〜二〇二二）、およびイギリス人のハロルド・クロトー（一九三九〜二〇一六）は、宇宙空間に存在すると予想されるHC_3N、HC_5Nなどのシアノポリインの合成を試みていました。彼らの実験には、鉛筆の芯の主成分であるグラファイト（黒鉛）にレーザーを照射して、生成物の質量を分離しながら検出するというレーザー蒸発質量分析という手法が使われました。冷却用のヘリウムの圧力をある条件にしたところ、質量スペクトル上にC_{60}が圧倒的な量で検出されることに気付きました。彼らはこのC_{60}が炭素原子一二個の五角形と炭素原子二〇個の六角形から成るサッカーボール状の分子であると直感し、フラーレンと名付けました。

一九九〇年にウォルフガング・クレッチマー（一九四二〜）らはアーク放電法によるC_{60}の生成と単離に成功し、フラーレンの大量合成が可能となりました。C_{60}の構造に関するスモーリーらの予

【図35】炭素だけでできている分子の仲間――5種類の炭素の同素体

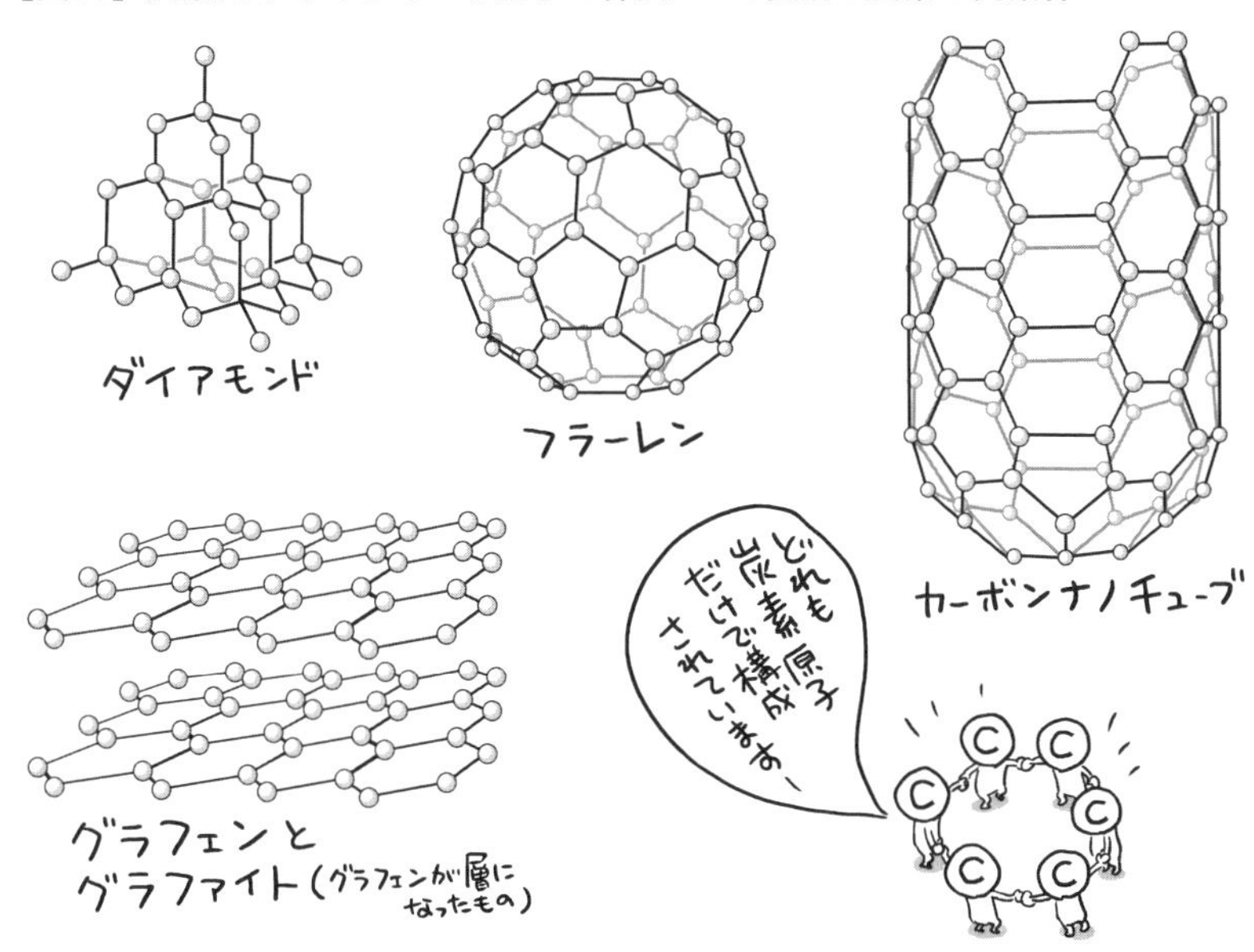

想は後日、正しいことが実験的にも証明されました。

現在、フラーレンは化粧品の成分、ダイアモンドの研磨剤、有機太陽電池のn型半導体の素材などに利用されています。フラーレン以外にも、二〇〇四年には、炭素原子が作る六角形の格子が二次元に広がったグラフェンと呼ばれるシート状の物質が発見されました。原子一個の厚みを持つグラフェンシートが、多層に絡み合った構造がグラファイトであると言えます。さらに、C_{60}を切断してできる二つのお椀を筒状のグラフェンまたはグラファイトでつなげたカーボンナノチューブという物質も合成されています。

〈2〉有機無機混成ペロブスカイト

❖ シリコン太陽電池に迫る有機物から成る太陽電池

図36に描いたABX_3の化学式で表される結晶をペロブスカイトと呼びます。ここでAは大きな正イオン、Bは小さな正イオン、Xは負イオンを表しています。正イオンAを中心に見ると、正イオンBが立方体の頂点に来て負イオンXは立方八面体を作ります。その際にXはBが作る立方体の辺の中点に位置します。Bを中心に見るとXが六配位した正八面体構造BX_6ができていることが分かります。

代表的なペロブスカイトにはチタン酸カルシウム、チタン酸バリウム、マグネシウム鉄ケイ酸塩などがあり、圧電素子、強誘電体、超伝導体などに使われています。また、地球深部のマントルに含まれていて、地球の総質量の半分を占めていることも知られています。

二〇〇九年、宮坂力らが光増感剤としてヨウ化鉛ヨウ化メチルアンモニウム$CH_3NH_3PbI_3$の結晶を初めて太陽電池の光吸収物質に利用しました。この$CH_3NH_3PbI_3$には、大きな有機物の正イオン$CH_3NH_3^+$と小さな無機物の正イオンPb^{2+}とハロゲン負イオンI^-が含まれており、これらがABX_3のペロブスカイト構造を作り上げています。無機物だけでなく有機物もペロブスカイトの成分になっていることから、有機無機混成ペロブスカイトと呼ばれることもあります。

【図36】ペロブスカイトは様々な場面で登場する

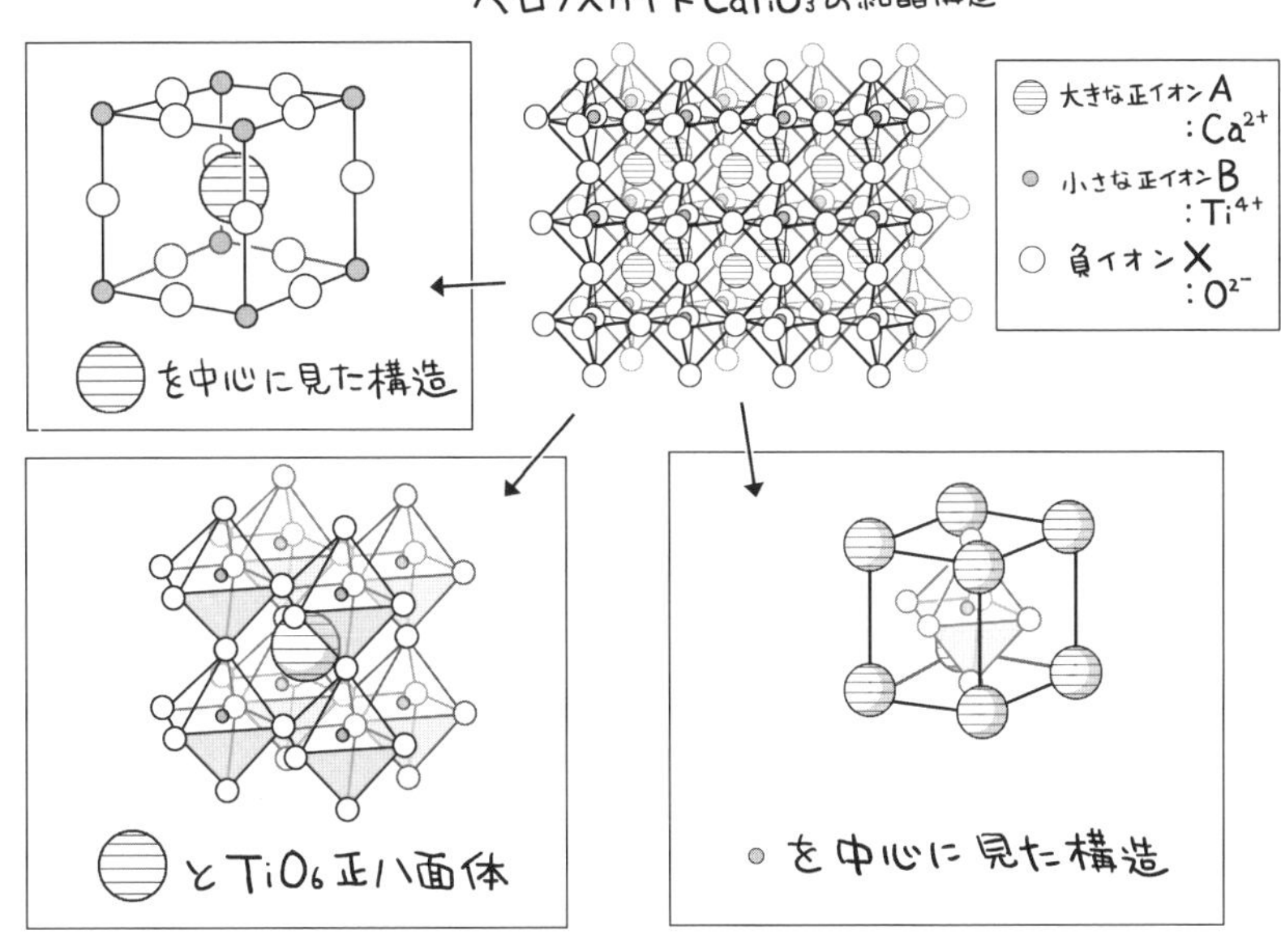

二〇一一年に、電池内部の電荷輸送体をすべて固体化することで、より高い電力変換効率が得られるようになりました。その後、世界各所で急速に開発が進み、二〇一五年には、結晶シリコン太陽電池に匹敵する一八%以上のエネルギー変換効率が報告されています。

今まで三〇年以上もの間、様々な物質を使った太陽電池が開発されてきました。しかし、高い発電性能と良好な耐久性の両条件を満たすものとして、シリコンを凌ぐ素材はありませんでした。それが有機無機混成ペロブスカイトの登場によって一気に様変わりしつつあります。有機物の効果で原料の溶液から基板への結晶成長が著しく促進されることが、画期的な太陽電池が生まれる要因の一つであると言われています。

第12章　二〇世紀の天文学

1　膨張する宇宙

❖ ビッグ・バンから始まる宇宙の膨張

一九世紀になって巨大で高性能な望遠鏡が建設されたことで天王星や海王星が新たに発見され、我々の宇宙は銀河系にまで拡大されていきました。

資金力のあるアメリカ経済のおかげで、一九〇八年に直径一・五mの世界最大の望遠鏡がウィルソン山天文台に建設され、そして一九一七年には直径二・五mの巨大望遠鏡（フッカー望遠鏡）が同天文台に建設されました。

一九二〇年代に最も精力的に観測されたのがケフェイド変光星と呼ばれる特殊な星で、その明るさの変化から、地球から変光星までの距離を測定することができました。

第一次世界大戦から帰還したばかりのエドウィン・ハッブル（一八八九～一九五三）は、代表的な渦巻き星雲のアンドロメダ星雲の中にケフェイド変光星を探し出して、そのデータから、この

【図37】エドウィン・ハッブルが報告した宇宙の膨張を示す証拠

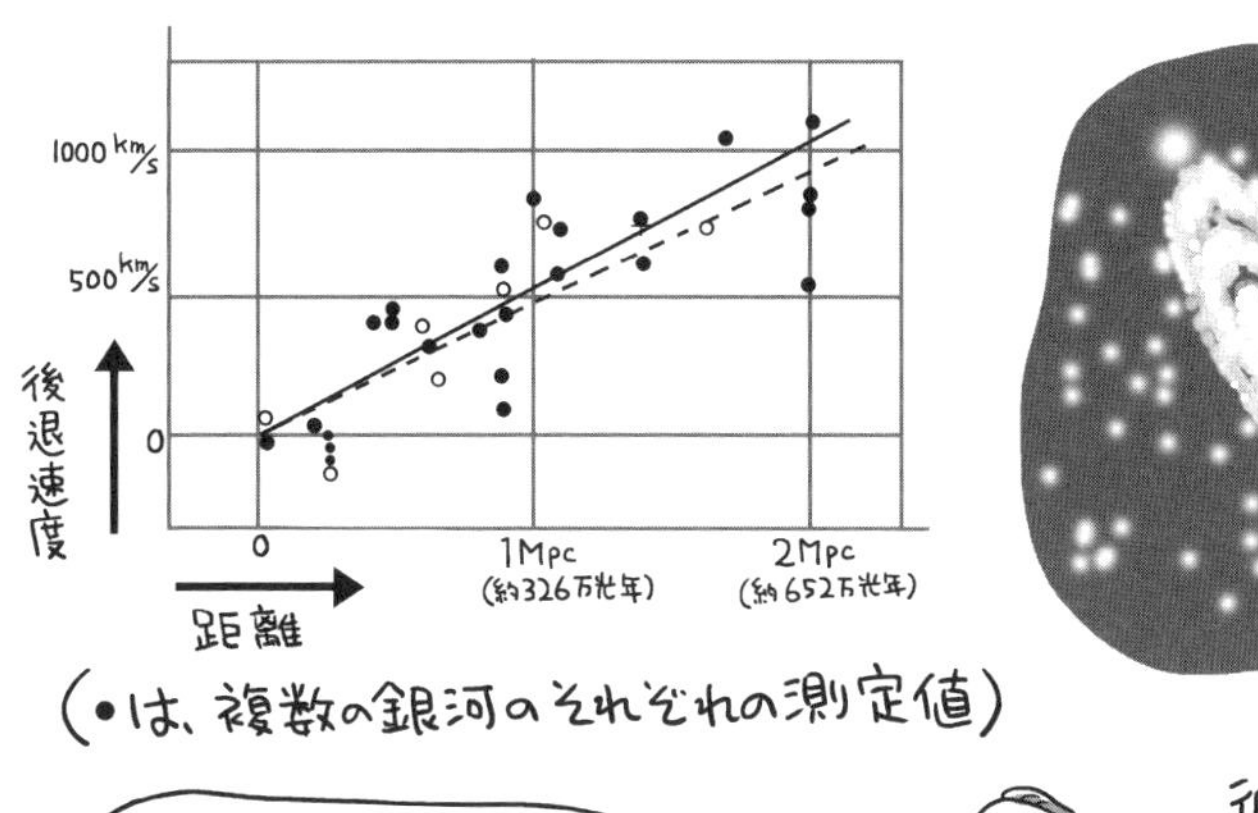

星雲が我々の銀河系の外側にある二〇〇万光年以上離れた「外の銀河系」であることを突き止めました。その結果、一九二四年の彼の論文によって宇宙の広さが一気に広がりました。さらにハッブルは、遠ざかっていく天体が発する光の波長が伸びて観測される現象（赤方偏移と呼ぶ）から、外の銀河が我々の銀河から離れていく速度を計算しました。彼はこの数値から、我々の銀河に対して遠ければ遠いほど、外の銀河の遠ざかっていくスピードが速くなっていることを証明しました。これによって宇宙そのものが急速に膨張しているという事実が分かってきました。

その後、一五〇億年前に濃縮された物質の大爆発から宇宙が始まったというビッグ・バン理論が生まれました。一九六四年にベル研究所にいたドイツ人のアルノ・ペンジアス

（一九三三〜）とアメリカ人のロバート・ウィルソン（一九三六〜）が、電波用アンテナを使って、大気圏外の信号である宇宙マイクロ波背景放射を観測しました。捉えた信号の強度は、ビッグ・バンの名残によるエネルギー放射の理論的予測値に合致したことから、ビッグ・バン仮説が証明されました。

2 電波天文学の進歩

❖ 宇宙から到来する規則的な信号を検出

アメリカ人のカール・ジャンスキー(一九〇五~一九五〇)は大学卒業後に就職したベル研究所で、遠雷による電話回線への雑音を調べるために二〇・五MHz向けの回転式アンテナを製作し、あらゆる方向からの電波雑音を一年間かけて調査し、恒星日と呼ばれる二三時間五六分の周期で同じ方向から送られてくる微弱信号を検知しました。そして、この信号は銀河系の中心(いて座の方向)から送られてきたことを突き止めました。一九三三年に発表された彼の論文は天体物理学者からは無視されましたが、無線技士のグロート・レーバーやジョン・クラウスらが高感度の電波望遠鏡を作り宇宙のあらゆるところに電波源が存在することを明らかにしました。今では、ブラックホールや宇宙塵などの発見に電波望遠鏡は不可欠になっています。

一九六七年ケンブリッジ大学の電波天文学者アントニー・ヒューイッシュ(一九二四~二〇二一)とジョスリン・ベル(一九四三~)は、惑星間シンチレーションアレイと呼ばれる巨大なアンテナを建設し、宇宙の電波源からくる電波の強度変化を観測し続けました。

もともとは電波を放射する活動銀河核(クェーサー)を対象として、太陽周囲の荷電粒子による

「またたき」現象を調べる目的でしたが、ベルが幅〇・一秒、周期一・三四秒の規則的な安定した変動を子ぎつね座の方向に発見しました。

その後の研究から、このパルスは超新星爆発後の残骸である中性子星からエネルギーを電波の形で放出していることが分かりました。パルスを発しているパルサーは自転軸と磁軸がある角度をなして自転している天体であると解釈されており、磁軸の方向が観測者の方向に合致したときに電波として観測されます。超新星の爆発で中性子星が誕生することは理論的には予言されていましたが、ヒューイッシュとベルによって、初めてそれが実験的に証明されたことになります。

第13章　近代生物学の発展

1　生物の多様性と進化

❖ 生物分類法の発展

一七世紀にイギリス人のジョン・レイ（一六二七～一七〇五）は生物を分類するために、その基本的な性質を調べるという分類学の誕生に関わりました。彼は子葉の数に基づいた植物分類法を提唱しました。

一八世紀には、スウェーデン人のカール・リンネ（一七〇七～一七七八）は著書『自然の体系』の中で植物の雌雄体系をまとめて、二名法（「属」名と「種」名を組み合わせてラテン語で表記する方法）によって動植物を分類し、植物学を科学として確立させることに尽力しました。彼は花の雄しべの数と配列の違いから「綱」に分け、雌しべの花柱の違いから「目」に分け、さらに花の違いで「属」に分けました。

現在では上から「界」「門」「綱」「目」「科」「属」「種」の七つの階級となっており、それぞれの分類基準はリンネのものとは異なっています。しかし彼の分類体系の基本的考え方は現代まで使われ続けています。

❖ ラマルクが唱えた獲得形質の遺伝

地層からの古生物の発見などを背景に進化論を展開した学者として、フランス人のジャン・バティスト・ラマルク（一七四四〜一八二九）が知られています。パリ王立植物園長だったラマルクは獲得形質の遺伝という説を発表し、生物の進化の要因に器官の使用・不使用が関わっていると考えました。生物には生まれつき常に環境に適合しようとする性質が備わっているというこの説では、絶滅種が存在する理由に対する満足な解答は得られませんでした。

2 遺伝学の始まり

〈1〉ダーウィンの進化論と自然選択

イギリス人のチャールズ・ダーウィン（一八〇九〜一八八二）は、英国海軍のビーグル号での航海体験および動植物の採集・飼育・品種改良実験を通して得た多くの客観的証拠に基づいて研究を進め、独自の進化論を構築していきました。

ダーウィンは、一つの生物種の子孫は一見同じに見えても少しずつ変異していると説きました。一八五九年の主著『種の起源』には、環境条件に適する有利な形質を持つ個体は生き残って進化し続けるが、不利な形質を持つ個体は自然淘汰されると説明されています。自然は悠久の時間をかけて、生存競争を通して品種改良に相当することを行っているという訳です。生存競争を勝ち抜いた形質を持つ個体は、次第に種全体の大きな割合を占めることになります。

ダーウィンが唱えたこの自然淘汰説は現代では自然選択説と呼ばれることが多く、生物の進化に関する基本理論となっています。

〈2〉遺伝の仕組み

一九世紀末、ドイツ人のアウグスト・ワイスマン（一八三四～一九一四）は生殖細胞が細胞分裂してできる卵細胞と精細胞を研究しました。他の細胞と違って、生殖細胞が分裂するときに染色体の数は半数になります。これを減数分裂と呼びます。ワイスマンは、生殖細胞の染色体に含まれる何らかの物質が形質遺伝を司っていると予測しました。その正体は不明のまま、次第にこの物質は遺伝子と呼ばれるようになりました。しかし、遺伝子の存在に反対し、ラマルクの「獲得形質の遺伝」という考え方を支持する科学者もまだ多くいました。

一九〇〇年に、オランダ人のユーゴ・ド・フリーズ（一八四八～一九三五）はそれまで顧みられることがなかったグレゴール・メンデル（一八二二～一八八四）の「エンドウ豆を用いた遺伝の研究」を学界に紹介しました。メンデルの研究成果から、何らかの粒子という独立した単位を使って、動植物はその形質を子孫に引き継いでいくことが明らかになりました。なお、ド・フリーズは、彼自身のオオマツヨイグサの変異株の実験から突然変異説を提出したことでもよく知られています。細胞分裂の際に遺伝子情報の複製に失敗することが突然変異の原因であるとされています。

二〇世紀に入り、アメリカ人のトーマス・ハント・モーガン（一八六六～一九四五）は、細胞核内の染色体数が少なく観測しやすいショウジョウバエを実験材料として、突然変異で生まれた赤目の成虫を交配させることで赤目になる遺伝子が染色体のどこに存在するかを調べました。さらに、モーガンの弟子のハーマン・ジョゼフ・マラー（一八九〇〜一九六七）は、人為的に突然変異を誘発させられることをショウジョウバエのX線照射実験で実証しました。マラーは、卵細胞や精細胞を作る際に染色体の間で、部分的な交換が行われていることも発見しました。

現在では、自然選択（自然淘汰）と突然変異および遺伝的浮動が、生物の進化の主因であると考えられています。染色体の同じ位置にある遺伝子は対立遺伝子と呼ばれ、ある頻度で次世代に伝わっていきます。その生物が、生存や生殖に有利になる対立遺伝子を持っていれば、自然選択によってその対立遺伝子の頻度が次第に増えていきます。一方で、その生物にとって、ある対立遺伝子を所有していても有利にも不利にも働かない場合は、その対立遺伝子の頻度の変動は偶然が支配することになります。こうい

【図38】グレゴール・メンデルのエンドウ豆を用いた遺伝の研究

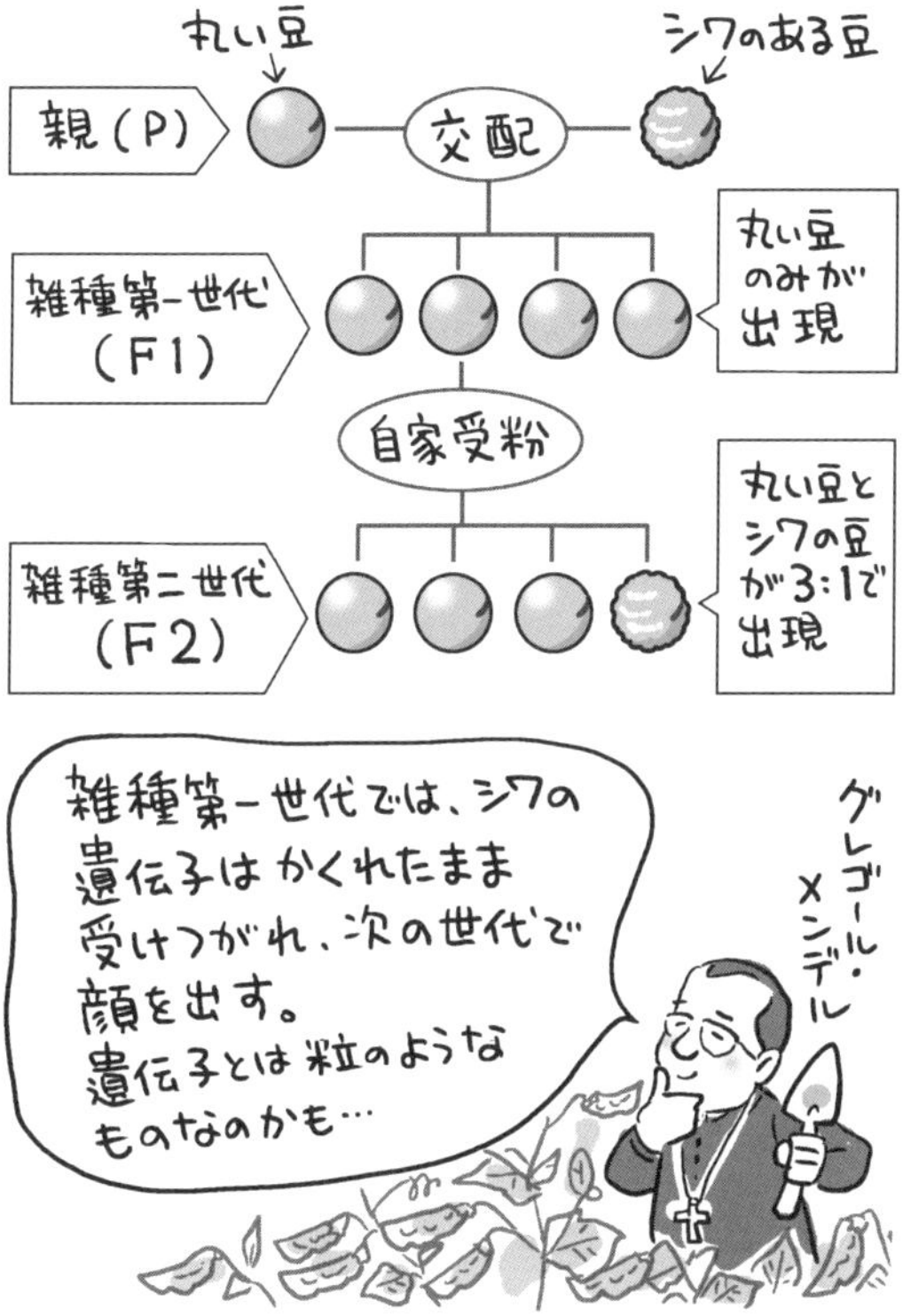

った変動を遺伝的浮動と呼びます。通常は、その生物の個体数が少ない集団ほど、遺伝的浮動の効果は大きくなります。

3 DNAの発見と遺伝情報解析

〈1〉DNAの構造解明

❖ 遺伝情報の「転写」と「翻訳」

一九四四年に行われたオズワルド・セオドア・アベリー（一八七七～一九五五）らの肺炎双球菌を用いた実験、および一九五二年のアルフレッド・ハーシー（一九〇八～一九九七）とマーサ・チェイス（一九二七～二〇〇三）によるT2ファージを用いた実験から、細胞中の核に含まれる核酸のうちのデオキシリボ核酸（DNA）が、生命活動や形質遺伝に対して重要な役割を果たしていることが明らかになりました。

一九五一年頃、イギリス人のロザリンド・フランクリンらは、DNAの結晶構造を示すX線回折写真を撮影しました。この写真をもとに、一九五三年、ジェームズ・ワトソン（一九二八～）とフランシス・クリック（一九一六～二〇〇四）は、DNAの二重らせん構造の結合様式を詳しく調べ、遺伝子情報の複製のメカニズムを解明したのです。

彼らによると、一つの遺伝子はあるDNAの鎖の特定部位に存在し、ある特定のポリペプチド

【図39】DNAの二重らせん構造とX線構造解析法

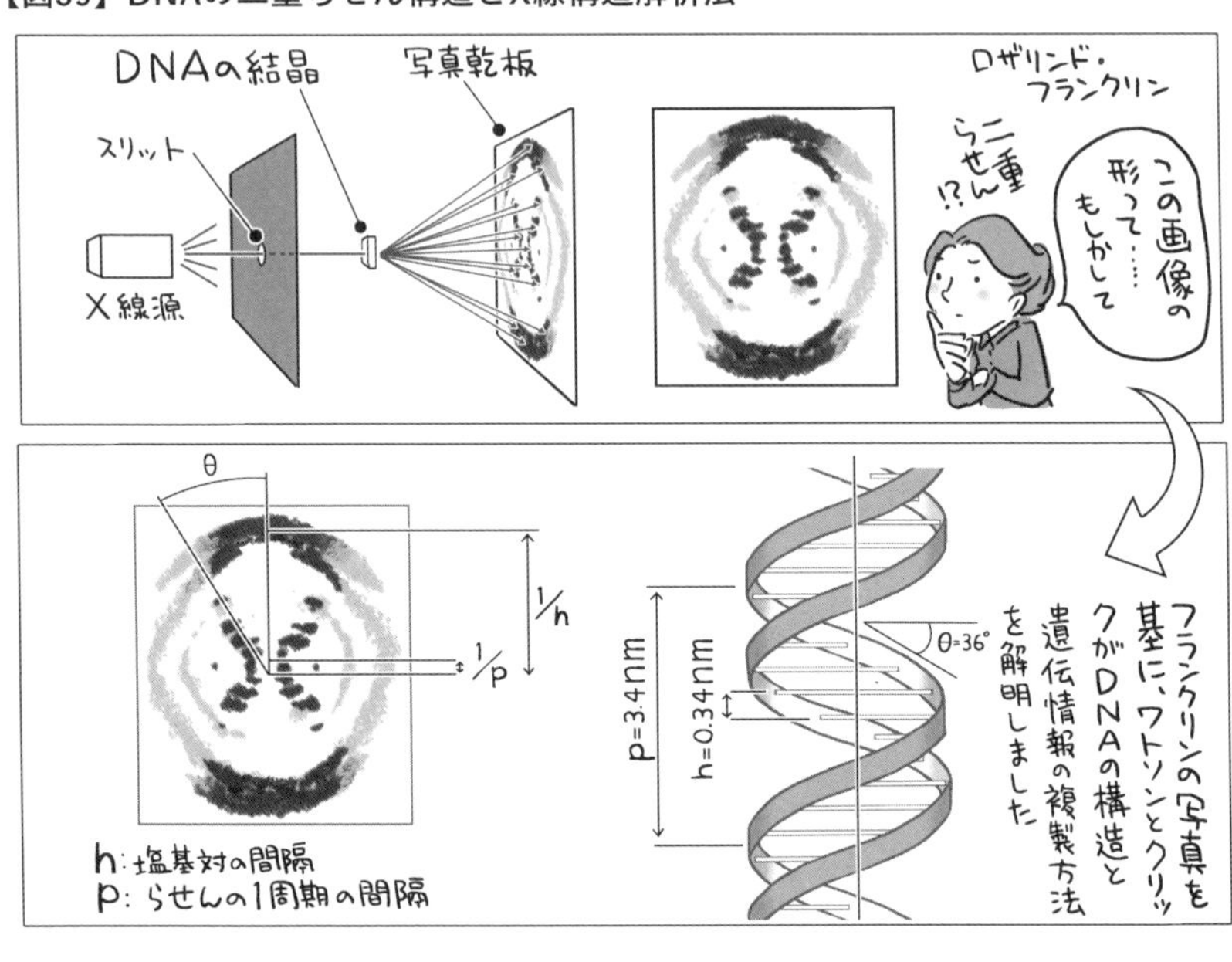

を作るために必要な遺伝情報を保持しています。ここで、ポリペプチドはアミノ酸をモノマーとしたポリマーであり、たんぱく質の主要な構造単位と考えてよいでしょう（一六七ページ参照）。次に、DNAの遺伝情報がどうやってポリペプチドに伝達されるかを説明します。

まず、核の内部で、DNAに含まれる塩基の配列によって記述された遺伝情報が、RNA上の相補的な塩基配列として写し取られます。これを「転写」と呼びます。RNAはDNAと同じ核酸の一つですが、DNAと異なり通常は一本鎖で存在しています。次に、RNA上の塩基配列が、ポリペプチド上のアミノ酸の側鎖の配列に変換されます。この段階を「翻訳」と呼びます。以上から、ある生物種のそれぞれの個体が持つ同一性と特異性は、

DNAとRNAの構造的な特徴に強く依存していることが分かります。

〈2〉遺伝情報解析

❖ PCR法で解析時間が大幅に短縮

DNAにおいて、モノマーに相当する構造は、塩基と糖とリン酸が結合した構造をしており、ヌクレオチドと命名されました。ヌクレオチドの結合順序は、言い換えればDNAの塩基配列そのものであり、一九七七年にフレデリック・サンガー（一九一八〜二〇一三）らによって開発されたジデオキシ法によってこの結合順序が決定できるようになりました。

さらに、一九八三年にはキャリー・マリス（一九四四〜二〇一九）が開発したポリメラーゼ連鎖反応（PCR）法で任意の遺伝子領域を指数関数的に増幅することができるようになり、DNA解析に要する時間が画期的に短縮されました。処理過程一サイクル当たり二〜五分で解析には二〇〜四〇サイクルを要するので、全工程が数時間で終了します。

マリスの原著論文は「酵素学の方法」という専門誌に掲載されたにもかかわらず、このPCR法は短期間で世界中に広まっていきました。現在、こういったDNAシークエンシングと呼ばれる方法が遺伝情報解析の基本手段となっています。二〇二〇年から二〇二二年にかけて世界中で新型コロナウィルス（COVID-19）が流行したときには、PCR法は最も信頼できる感染判定手段として注目され、ニュースでもＰＣＲ検査の話題で持ちきりになりました。

第14章　近代病理学と薬理学の発展

1　微生物の研究と細菌学の黎明

❖パストゥールとコッホは病原菌を発見しワクチンを創製した

一九世紀になり顕微鏡の性能が格段に向上したおかげで、すべての動植物は細胞から構成されていること、既に存在する細胞の分裂によって新たな細胞が生み出されること、細胞の中に細胞核がありさらにその中に染色体という微細構造があることなどが明らかになりました。これらの発見には、ドイツ人のテオドール・シュワン（一八一〇～一八八二）とルドルフ・ウィルヒョウ（一八二一～一九〇二）およびフランス人のルイ・パストゥール（一八二二～一八九五）らの研究と学説が大きく貢献しています。

とくにパストゥールは様々な人間の病気に微小生物の細菌が関わっていることを発見し、それまで信じられていた病気は個人の体質や普段の不摂生が原因であるという説が完全に誤りであることを実証しました。細菌は、ちりの粒子に付着して空気中を運ばれることかはっきりしたので

【図40】ローベルト・コッホが発案したガラスシャーレの固体培地

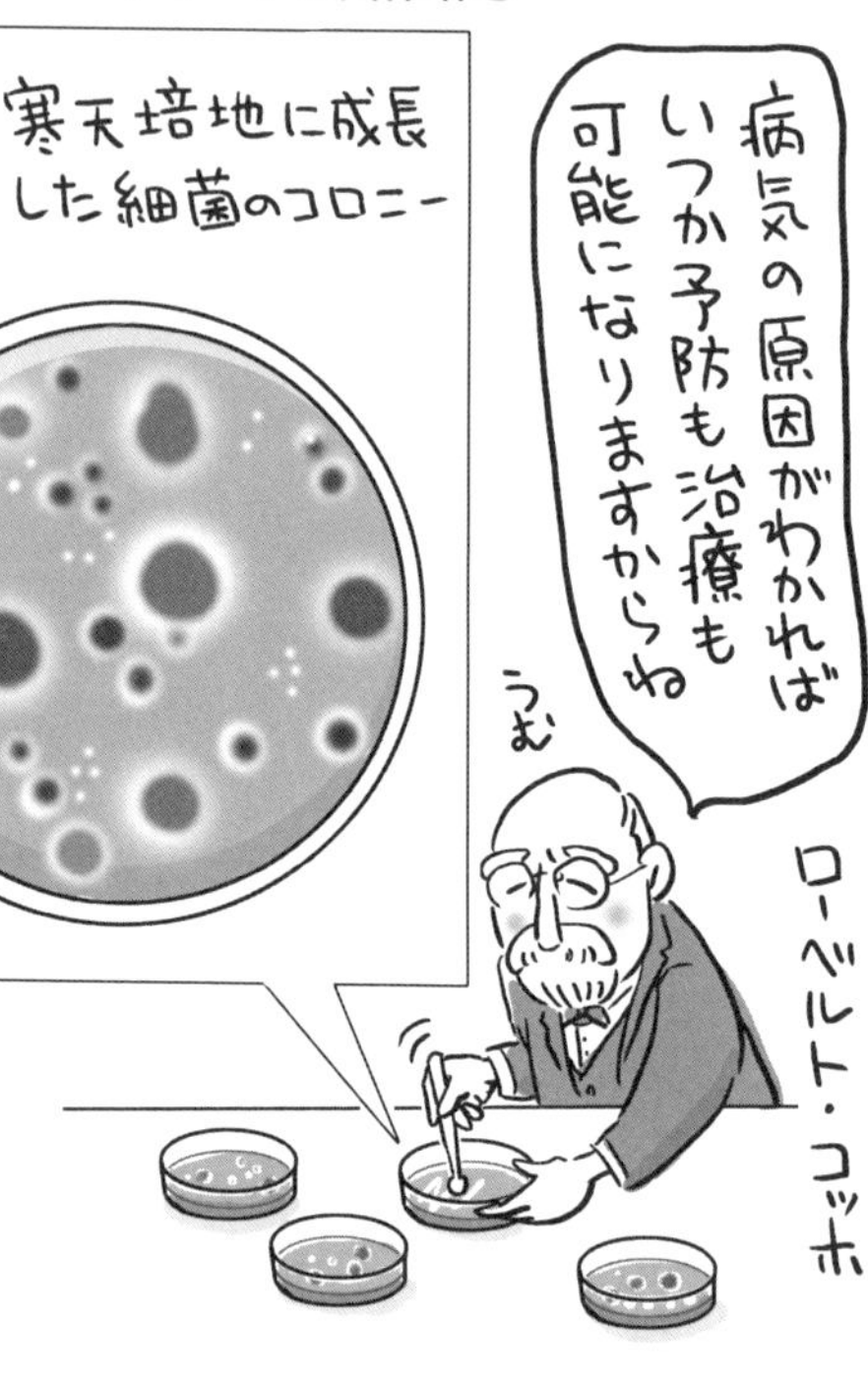

す。

さらにパストゥールは、一七九六年にイギリス人のエドワード・ジェンナーが天然痘に対して開発した種痘法を伝染病の予防に適用しました。すなわちパストゥールは、細菌やウィルスを人工的に培養し弱毒化させ、それを事前に接種することで人が細菌やウィルスに感染しても発病を防ぐことができる手法を編み出しました（一八八一年）。ワクチン（弱毒化された菌）やワクチネーション（種痘）という用語は、一世紀前に牛の病気である牛痘を注射して天然痘予防としたジェンナーに敬意を表してパストゥールが命名したものであり、ラテン語の牛を意味するvaccaに由来します。パストゥールの多くの業績の中で、最も劇的な成功例が狂犬病のワクチンの創製と言われています。

細菌学においてパストゥールのライバルであったドイツ人のローベルト・コッホ（一八四三〜一九二〇）は、当時、不治の病であった結核が細菌による伝染病であることを示し、原因となる結核菌を発見しました。続いて、彼はインドに赴き、流行していたコレラがやはり細菌によることを証明しました。また、コッホは細菌の研究にガラスシャーレの固体培地を利用したり、無菌手術のためのオートクレーブと呼ばれる蒸気滅菌器などを発明したりなど、多くの技術を考案したことでも知られています。なお、無菌手術のためのフェノール消毒法を最初に導入した人物は、イギリス人のジョセフ・リスター(一八二七〜一九一二)であり、彼のおかげで近代的な外科手術への道が開けました。

コッホの下で学んだ北里柴三郎(一八五三〜一九三一)は、破傷風菌とジフテリア菌の純粋培養に成功し、血清療法によって患者の治療や感染予防への道筋を開きました。血清療法とは、動物に菌体を注入することで、細菌の毒素に抵抗できる抗体を血清中に作り出す方法です。北里はペスト菌の発見者としても知られています。

2 抗生物質の開発

❖ アオカビから抽出されたペニシリン

二〇世紀になると体内に侵入した細菌を死滅させる薬剤を合成する試みも始まりました。初期の著名な薬剤がドイツ人のゲルハルト・ドーマク（一八九五～一九六四）が合成したプロントジルであり、よく似た骨格を持つスルホンアミド類がサルファ剤として医療現場で使用されるようになりました。

スコットランド人のアレクサンダー・フレミング（一八八一～一九五五）は抗生物質antibioticsと呼ばれる生物由来の薬品を世界で最初に作りました。一九二八年に、フレミングが実験室に積み上げていた廃棄寸前のシャーレを観察したところ、固体培地に広がった細菌のコロニーが室外から紛れ込んできたカビの周囲だけは透明となっていることに気付きました。つまり、カビの周囲だけ細菌の生育が阻止されたことを意味します。この事実にヒントを得て、彼はアオカビの一種であるPenicillium notatumを液体培地に培養し、その培養液をろ過したろ液に、この抗菌物質が含まれていることを見出し、アオカビの属名であるPenicilliumに因んで「ペニシリン」と名付けました。フレミングは一九二九年に成果を論文に報告した後、ペニシリンを大量に精製する作業に取り組みましたが、なかなか進展しませんでした。

第二次世界大戦の最中、オーストラリア人のハワード・フローリー（一八九八～一九六八）とドイツ人のエルンスト・チェーン（一九〇六～一九七九）はイギリスでアオカビから抗菌成分を抽出・精製する作業にとりかかり、フローリーはアメリカの製薬会社にペニシリンの生産を委託しました。その結果、一九四三年には十分な量のペニシリンが医療現場に供給されることになり、多くの負傷兵や戦傷者の命を救うことになりました。ペニシリンが細菌感染症の治療にもたらした画期的変革の功績が認められて、フレミング、フローリー、チェーンは二年後にノーベル賞を受賞しました。

ペニシリン以外にもストレプトマイシンなどの多くの抗生物質が開発され、二〇世紀後半から二一世紀になると、欧米などの先進国では感染症で亡くなる人の数が次第に減少しています。ただし、多くの有害な細菌が、抗生物質に対する耐性を獲得して生き延びてしまうという問題が残ります。ダーウィンの発見した自然淘汰（自然選択）の法則は、自然界のすべての生命体に対して普遍的に当てはまることから、病気の原因となる細菌に関しても状況は同じであり、耐性を持った細菌の遺伝子は次の世代へと受け継がれていくことになります。

第15章　脳と心理の科学

1　大脳生理学の誕生

❖ 神経細胞ニューロンとシナプスの働き

一九世紀末期に二人の医学者が脳の構造に関する重要な研究を成し遂げました。一人はイタリア人のカミッロ・ゴルジ（一八四三〜一九二六）で、彼は硝酸銀染色法を用いて神経細胞を詳しく観察し、神経繊維が切れ目なく末端でつながっているという網状説を唱えました。これに対して、スペイン人のサンティアゴ・ラモン・イ・カハール（一八五二〜一九三四）は神経細胞を精密に観察することで、個々の神経細胞が独立して存在することを発見しました。これにより網状説は棄却されます。

カハールはこの非連続の神経細胞をニューロンと名付け、ニューロンが樹状突起、細胞体、軸索、軸索末端などの部分構造からなることを示しました。また、彼によって、神経を伝わる電気信号は樹状突起から軸索に向かって一方向に流れることも分かりました。

イギリス人の神経生理学者チャールズ・スコット・シェリントン（一八五七～一九五二）は、軸索末端に他のニューロンに接続するシナプスが存在することを発見しました。シナプスは狭い間隙であり、脳内の情報の流れを制御しています。電気信号は一旦シナプスで神経伝達物質に受け渡され、化学反応によって情報が伝達されます。神経伝達物質にはアセチルコリン、アドレナリン、ドーパミンなどがあり、情報の流れを制御することで、人間の感情や思考を大きく左右することが明らかになりました。

2 磁気共鳴画像法

❖ MRIの開発

スイス人でアメリカに移住し、スタンフォード大学に勤めたフェリックス・ブロッホ（一九〇五～一九八三）とアメリカ人のエドワード・パーセル（一九一二～一九九七）は、核磁気共鳴の原理の発見と方法論の開発を行いました。彼らは強力な磁場の中で原子核の核スピンを整列させて、そこに厳密な共鳴周波数の電磁波パルスを照射することで核スピンを反転させました。[※a] 反転した核スピンが再び反転して元に戻るときに別の電磁波パルス（エコー）を放出します。戻るまでの時間は、その原子核が含まれる原子の置かれた環境に鋭敏なので、磁気共鳴法は分析に利用することができます。これが核磁気共鳴分光法（NMR）の原理です。

さらにスイス人のリヒャルト・エルンストは一九六六年にフーリエ変換型NMRを開発し、一九七三年にはポール・ラウターバー（一九二九～二〇〇七）とピーター・マンスフィールド（一九三三～二〇一七）は、磁気共鳴画像法（MRI）の開発を可能にする発見をしました。

ラウターバーはNMR信号に人体の組織の位置情報を持たせるために、わざと磁場強度に傾斜を持たせることで、共鳴周波数を連続的に変化させるというアイデアを思いつきました。放出される電磁波パルスの時間変化信号は様々な信号が混ざったものですが、それを周波数領域にフーリエ変換[※b]することで、生体中の水素原子核の分布を画像化することに成功しました。現在のMRI装置は、様々な方向から傾斜磁場を与える方法を採用しています。

❖ 小川誠二がｆＭＲＩを開発

磁気共鳴画像法による生体画像には骨が映らないので内臓の断層画像を撮るのに適しています。直接観測できるのは体の軟部組織と水分になります。

一九九〇年代に入って、小川誠二（一九三四〜）は脳内の血中酸素を検出し血流の変化で脳内の活動を可視化する技術「機能的磁気共鳴画像法」（ｆＭＲＩ）を開発しました。ＭＲＩは脳神経のニューロン内部の電気の流れを直接検出することはできませんが、血中酸素を目印として間接的にニューロン内の電気信号を追跡することは可能です。これにより脳の各部位がどのように連結されているかを調べることもできます。

二一世紀の現在ではＭＲＩスキャナーを使って脳内でめぐっている人間の思考を読み取れるよ

※a　核スピン　原子核が持つ量子力学的な角運動量のことを核スピンという。もともと電子　陽子、中性子はスピンという自転運動をしていて磁石に似た性質を持つ。このことを電子、陽子、中性子は固有のスピン磁気モーメントを持つと表現する。一般に、原子核は複数個の陽子と中性子から構成されるので、すべての粒子のスピンなどを合成した核スピンを持つことになる。

※b　フーリエ変換　積分が可能な関数を、三角関数または複素指数関数の和で表す変換方法。

【図41】磁気共鳴画像法MRIを用いた脳の断層画像の撮影

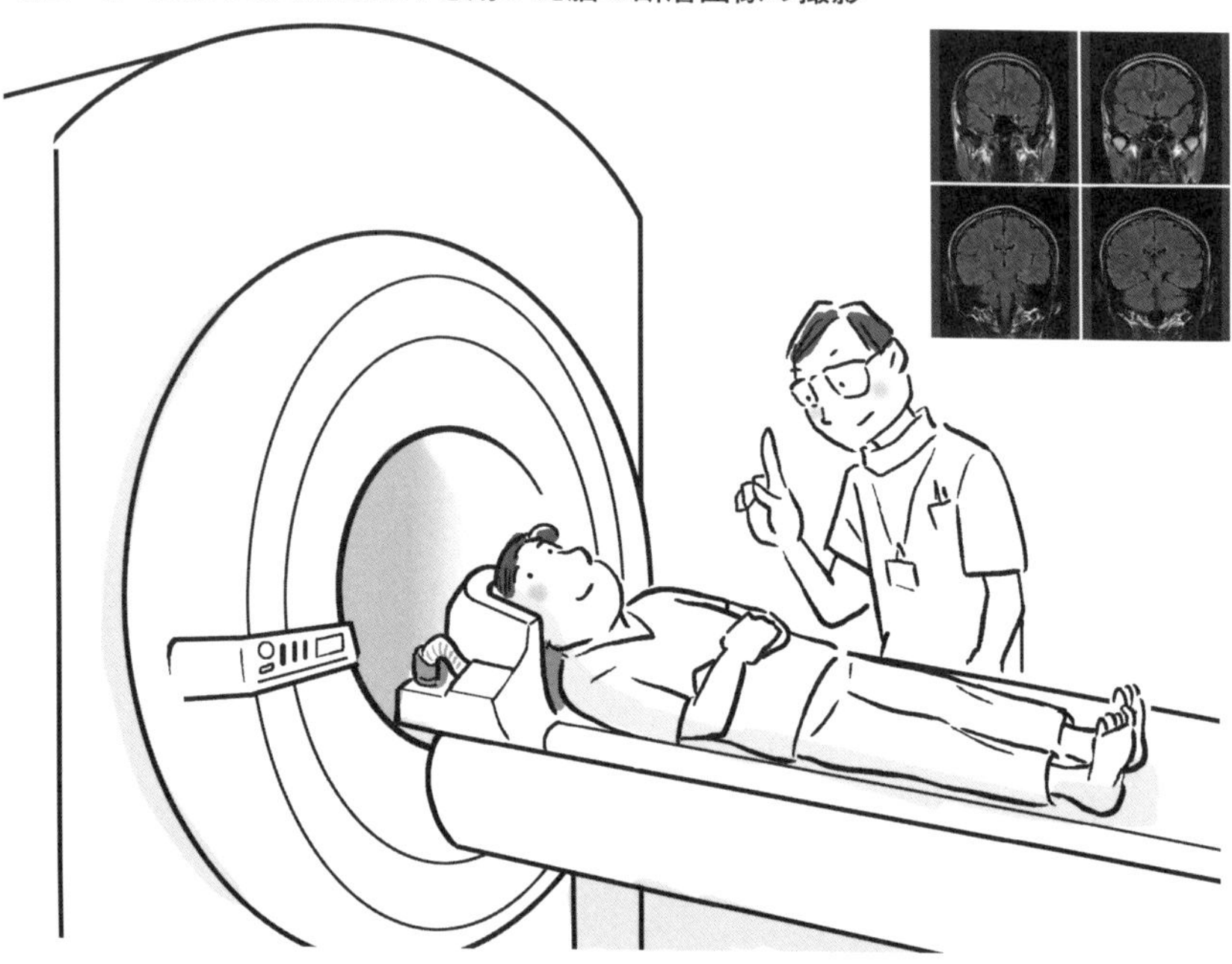

うにまでなっています。将来は、ｆＭＲＩによって人間の思考や記憶のメカニズムまで解明されると期待されています。

第16章　低炭素社会の実現と物質循環文明の構築

1　化石燃料や原子力発電だけに依存することの危険性

❖ 地球温暖化の進行

大規模な環境破壊は、人類が古代文明を築いた頃から既に始まっていました。

世界史上に残る環境破壊現象としては、紀元前二〇〇〇年以上前に、インダス文明の中心都市モヘンジョダロで、煉瓦を焼くために燃料となる木材を伐採した結果、引き起こされた洪水によって文明が衰亡した例があります。

また、紀元前七〇〇年頃に、今のレバノンを中心に海上貿易で活躍していたフェニキア人がレバノン杉を乱伐し、森林資源が枯渇してしまった例もよく知られています。

大量生産と大量消費の近現代に入ると、環境破壊は極めて深刻化してきます。

一八世紀末のイギリスでは石炭の大量消費による大気汚染に悩まされていました。

二〇世紀に入り、化石燃料の燃焼によって生じた窒素酸化物や硫黄酸化物に由来する酸性雨は、

【図42】二酸化炭素の温室効果による地球温暖化

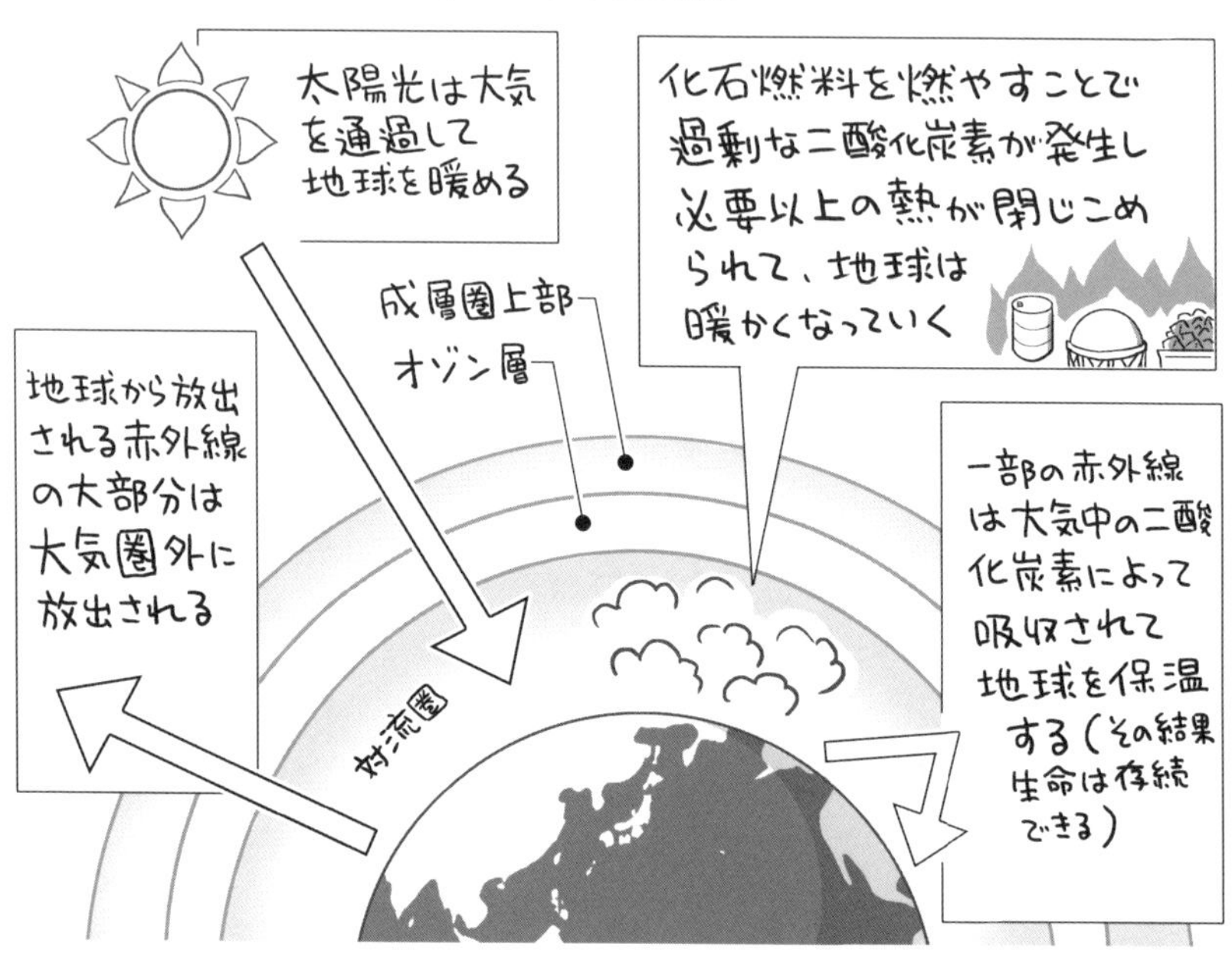

石灰岩でできた建造物を侵食するなどヨーロッパの街並みに多大な影響を与えています。

一方、化石燃料からの脱却を目的として開発されてきた原子力技術も、環境破壊と無縁ではありません。たとえば原子力発電所の事故による放射能汚染によって、広範囲の環境被害がもたらされた例もあります。一九八六年のチェルノブイリ原子力発電所と二〇一一年の福島第一原子力発電所の炉心溶融は過去最大級の放射性物質漏えい事故であり、今でも近隣地域への居住は制限されています。

二一世紀に入り、化石燃料を燃やすことによるもう一つの弊害が極めて深刻な問題になりつつあります。それが地球温暖化で、石油などの大量燃焼で発生する二酸化炭素

CO_2が地球の温室効果をもたらし、大気の温度上昇が進行しています。

大気中のCO_2の平均濃度は二〇一三年に四〇〇ＰＰＭを超えました。この値は、産業革命初期（一七五〇年）の水準に比べて四〇％増加しています。気温の上昇により、極地の氷の融解が進んで海面が上昇し、大洋に浮かぶ小島の中には将来水没する可能性があるものまで出てきました。山岳地の氷河が世界規模で消失しつつあり、融け出した水により平野部が洪水に見舞われたりもしています。近年のエルニーニョ現象や線状降水帯、超巨大積乱雲、ゲリラ豪雨などの異常気象も、地球温暖化による水蒸気量の増加との関連性が疑われています。

❖ 人類を襲う脅威

地球が誕生してしばらくの原始大気は酸素不足でした。五億年経ったくらいから、進化が加速したシアノバクテリアの光合成

CO_2 ＋ H_2O ＋ $h\nu$ → 炭水化物 ＋ 酸素

により大気に酸素が蓄積され始めました。酸素濃度が増加するにつれてオゾン層が形成され、生命体の陸上進出が可能となりました。現生人類は三万年位前から地球上に登場したと言われています。ところが、産業革命以降三〇〇年弱の短い期間に、人類は化石燃料を燃やすことで大気を急激に変化させてしまったのです。その結果として、これから先、次のような脅威に直面すると考えられています。

化石燃料の消費・枯渇および大気や海洋の汚染、地球温暖化による気候変動や豪雨などの異常気象、森林乱開発とそれに誘導される崖崩れや土石流および新型伝染病の発現、温帯地域の亜熱帯化、核廃棄物の増大と核事故のリスク、人口爆発と食糧不足などなど。このまま何もせずに手をこまねいていれば、今世紀中にこれらの災厄が次から次へと襲ってくることは想像に難くありません。

次の第2節では、化石燃料の代わりとなるクリーンな再生可能エネルギーの典型例として、水素エネルギーを用いる燃料電池および太陽光発電の代表格の太陽電池について解説しましょう。最後の第3節では、プラスチックごみによる海洋汚染と将来の食糧不足の問題を題材として、それらの解決にむけて現代の科学技術はどういった対策を打ち出そうとしているのかについて紹介していきます。

2　自然エネルギー利用とグリーンケミストリー

〈1〉燃料電池

❖ 水素ステーションの普及が課題

持続的発展が可能な低炭素社会を実現させるためにはクリーンエネルギー技術の開発が重要です。その中心となっているのが、燃料電池と太陽電池と言えます。

水素などの燃料に酸素を供給し、両者の電気化学反応で電気エネルギーを効率よく取り出す装置が燃料電池であり、水の電気分解の逆反応を利用しています。発電効率が高く環境に優しいクリーンなエネルギー源として、一般家庭、自動車、工場等で急速に普及しつつあります。燃料電池は動作温度と電解質の違いによってアルカリ型、固体高分子型、リン酸型、溶融炭酸塩型、固体酸化物型に分けられます。

燃料電池の原理実験は一八〇〇年程前に行われていましたが、実用化されたのは一九六五年以降でした。当時のアポロ宇宙船がアルカリ型燃料電池を搭載していたことはよく知られています。二一世紀に入り、一般家庭向けの固体高分子型や固体酸化物型燃料電池の実証実験が始まりました。さらに、発生した電気に加えて熱も同時利用するというコージェネレーション方式が、家庭用のリン酸型燃料電池で実用化されています。

電気自動車と同じく、燃料電池車も「環境にやさしい車」として注目されていますが、いまだに水素ステーションの普及率が低いことが課題と言えます。それでも販売価格がかなり下がってきたことから、今後は航続距離の面で有利な燃料電池車と自宅で電源供給が可能な電気自動車との間で、棲み分けが進むと予想されます。

❖ 太陽光を利用した水素の製造

水素を作る方法は大きく二つに分けられます。一つは石炭や天然ガスなどの化石燃料を燃焼させて生ずる気体から水素を作る方法で、製造過程で二酸化炭素を排出するため環境に対する負荷が大きいと言えます。メタンなどから水素を作る方法は水蒸気改質法と呼ばれ、化学工業の分野で広く利用されています。製造過程で発生する二酸化炭素を貯留または利用することで、二酸化炭素の排出量をできるだけ削減する試みも行われています。

もう一つは、水を電気分解して水素を発生させる方法で、二酸化炭素の排出がないクリーンなやり方です。ただし、水の電気分解には大きな電力が必要となるので、メガソーラー（大規模太陽光発電）から得られる再生可能エネルギーを用いて水素を製造するという産学官連携プロジェクトが推進されています。

【図43】水素――酸素燃料電池（固体高分子型の動作機構）

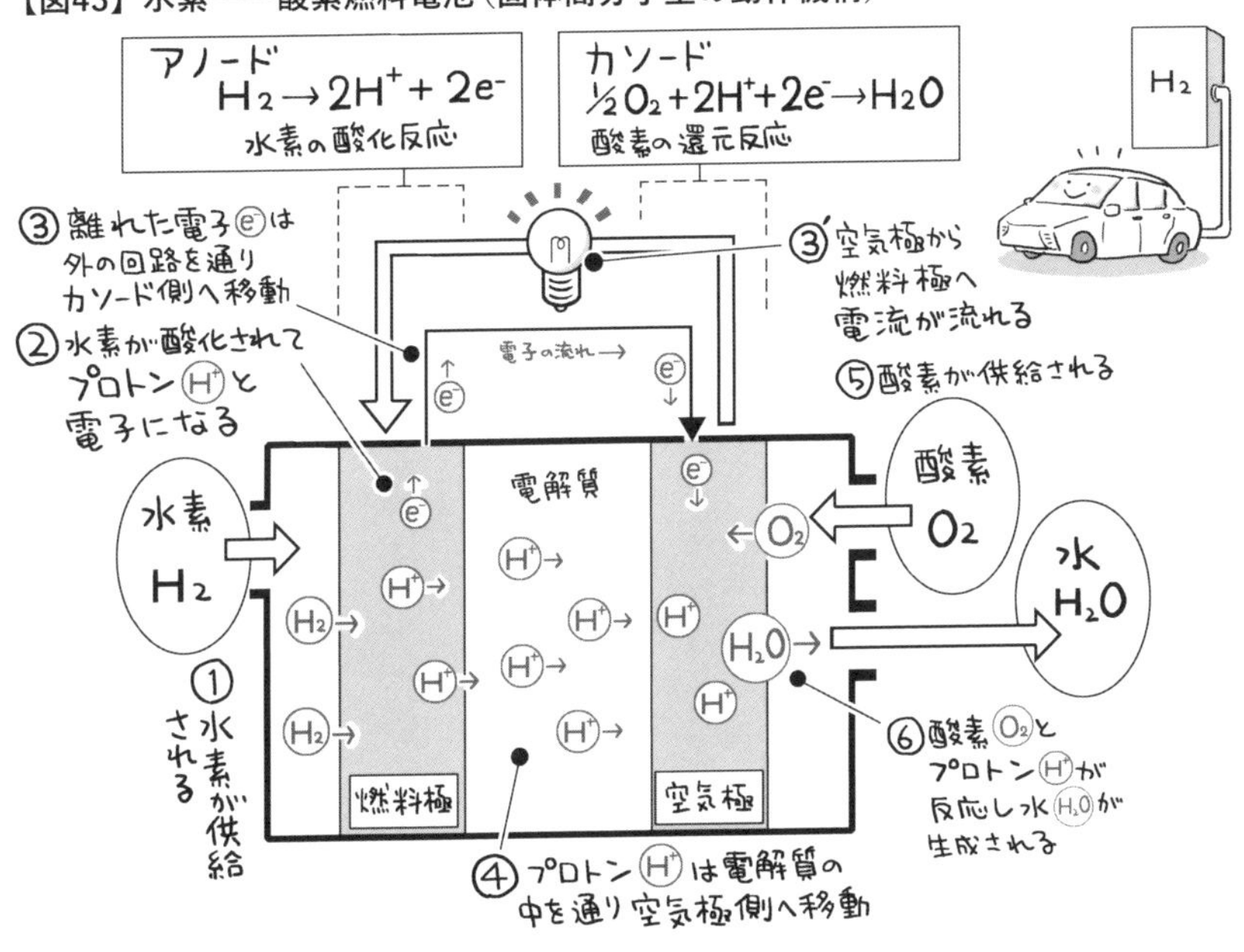

将来有望な第三の方法として、電気分解ではなく、太陽光で直接的に水を分解して水素を発生させる技術が開発され、実用化に向けた試験研究がなされています。分解反応には光触媒が必要で、たとえばチタン酸ストロンチウムなどの微粒子が利用されています。こういった光触媒分解法は電気分解法に比べて生産および運用コストが低く抑えられ、水素製造施設のシステム設計が容易で、しかも量産化に向けたスケールアップに適しているなど多くの利点があるとされています。

〈2〉太陽電池

❖主流はシリコン太陽電池

住宅の屋根や休耕地などでよく見かける

ソーラーパネルには、無機系太陽電池が利用されています。地表が受ける太陽光エネルギー（日射量）は、真夏の南中する太陽で一kW／m²つまり一平方メートル当たり約一kWですが、季節、昼夜、天候による太陽光強度の変化を考慮すれば、年平均で〇・一〜〇・二五kW／m²となります。最も普及しているシリコン太陽電池の場合、この太陽光エネルギーの一〇〜二〇％を電気エネルギーに変換できます。最近では非晶質のアモルファスシリコンと結晶シリコンを組み合わせた太陽電池が主流になりつつあります。高価ですが、純粋な結晶シリコンを使えば、二〇％を超えるエネルギー変換効率も可能となります。

いずれのシリコン太陽電池であっても原理は同じで、以下のように説明できます。シリコンを主成分とするp型半導体とn型半導体を貼り合わせて、その接合面に光を当てることで起電力が生じます。接合面に光が吸収されると電荷の分離が起こり、生成した電子とホールは互いに反対方向に輸送されてそれぞれ負電極と正電極に到達します。ここで、ホールとは電子が詰まっている価電子帯から電子がひとつ抜けた抜け穴のような状態であり、正孔とも呼びます（価電子についてはー六四ページ参照）。負電荷を持つ電子とは逆にホールは正の電荷を持っています。

❖ 有機太陽電池に期待

シリコン以外にも様々な物質が太陽電池に使えるのですが、その中でも軽量・柔軟でしかも原料費の安い有機分子による太陽電池を住宅建材やモバイル機器に組み入れるという国家プロジェクトが進んでいます。そもそも日本は地震多発国なので、耐震強度の問題で、国内の戸建て住宅の三五％は無機系太陽光パネルの設置が困難と言われており、この点からも有機太陽電池にかけられる期待は大きいと言えます。

有機太陽電池は大きく、有機薄膜太陽電池、色素増感太陽電池、ペロブスカイト太陽電池に分けられます。有機薄膜太陽電池では、ホールを受け取る（電子を与える）導電性プラスチックのポリチオフェン誘導体および電子を受け取るフラーレン誘導体の二種類の有機半導体が接合面を作り、電荷分離層を形成しています（バルクヘテロ接合と言います）。

二番目の色素増感太陽電池の電荷分離層は、色素と酸化チタンが組み合わさったものです。この太陽電池の特徴は、紫外線領域にしか吸収がない酸化チタンナノ粒子の上に可視・近赤外光を吸収できる色素分子を吸着させている点でしょう。色素分子を酸化チタンに載せることで、光エネルギーの捕集効率を桁違いに向上させています。

三番目のペロブスカイト太陽電池は二〇〇八年に宮坂力によって開発された新しいタイプの有機太陽電池です。詳細は一七二ページを参照してください。

❖ 宇宙太陽光発電システム

地球環境の悪化と化石燃料の枯渇を解決するために、地球閉鎖系だけで問題を解決しようとせずに、宇宙空間に視野を広げようという計画が進行しています。これを宇宙太陽光発電システム

Space Solar Power System（ＳＳＰＳ）と呼びます。

宇宙空間での太陽光エネルギーの値は一・三五kW／m^2であり、地表での年平均値の五～一〇倍もあります。このエネルギーを太陽電池で電気エネルギーに変換し、そのエネルギーをマイクロ波で地上に送るというのが本計画の骨子です。

計画では、宇宙飛行士たちが地表三六〇〇〇kmの静止軌道上に、一辺二・五kmの正方形ソーラーパネルをロボットアーム操作で組み立てることになっています。このＳＳＰＳの出力が一〇〇万kW級と見積もられており、これは地上の発電所一基分の出力にほぼ等しくなります。その際の地上のマイクロ波受電アンテナの大きさは直径約三・五kmと計算されています。二〇二〇年現在で、小規模な宇宙実験を実施してＳＳＰＳ技術の実用性を定量的に評価するという計画が進んでいます。

3 科学が果たすべき役割は何か？

〈1〉食糧問題の解決に向けて

❖ 森林を農地に大規模転換することには多くのリスクを伴う

二〇世紀になって開発された肥料や農薬のおかげで、農耕地は連続して使うことができ単位面積当たりの収穫量も増えました（たとえば、一四七ページ参照）。しかし、その反面、土壌の質は次第に低下し、化学物質による汚染も進みました。

二〇二二年一一月一六日に国際連合は世界の人口が八〇億人に到達したと発表しました。二〇八〇年代には一〇〇億人を超えると予想されています。これだけの人口を養うためには、これまでの農法を変えずに収穫量を増やそうとするとインドの二倍の面積の土地が新たに必要になると言われています。以下の理由から農地を増やすことは現実的ではありません。したがって、食糧の生産方法を抜本的に変えざるを得ないことは明らかです。

新たに森林を農牧地に開墾しようとすると、大なり小なり環境破壊、地球温暖化、気象変動の問題が直接関わってきます。なぜなら、化石燃料の燃焼により増加する二酸化炭素の量を抑制す

【図44】水耕栽培法（ハイドロポニックス）と屋内垂直農法

るためには、樹木による二酸化炭素の吸収が不可欠ですが、森林の開墾によってそれができなくなります（地球温暖化への影響、二〇〇ページ参照）。同時に、樹木に蓄積されていた大量の炭素が大気中に放出されることにもなります。さらに、森林の乱開発による洪水や崖崩れの危険性、封じ込められていた未知の伝染病の蔓延の恐れも高まります。

別の観点から、もともと農作に向いていない土地での農作物の収穫量を上げるためには、大量の人工肥料を撒き、虫や雑草を寄せ付けない（もしくは農薬に耐性のある）遺伝子組み換え植物を使うなどしますが、それらにもリスクが伴います。窒素肥料から放出される窒素酸化物は、酸性雨の直接的な原因になるし、温室効果もあるので地球温暖化に影響を及ぼすでしょう。一方で、たとえ食用認可は下りているにしても、遺伝子操作された農作物の安全性に関する人々の信頼度はまだ十分に高いとは言えません。

❖ 食糧問題解決の切り札となるか ― 屋内垂直農法

技術者や科学者は、これらの問題を解決する手段の一つとして水耕栽培法（ハイドロポニックス）を開発しました。

土壌を使わずに、根はプランターの中の栄養価の高い水溶液に浸され、葉には人工照明が照射されています。季節や温度の変化の影響は受けず、害虫の影響もないので、農薬不要で安定な収穫量を期待することができます。最近では、根を水溶液に浸す代わりに、根に水を噴霧するやり方で作物に与える水の量をさらに減らすことも行われています（エアロポニックス技術）。また、プランターを多段に重ねることで、必要な敷地面積を大幅に削減することにも成功しています。

将来は、屋内垂直農法によって、年間を通して完全に制御された環境のもとで生育し、ロボットによって収穫された野菜がスーパーマーケットの棚に並ぶ日がやってくると思います。

〈2〉リサイクルを目指す科学技術

❖ プラスチックごみの一部は海洋でマイクロプラスチックとなる

プラスチックは安価で軽量かつ加工がしやすいことから様々な製品に使われています。最近は、プラスチック製の容器、包装、レジ袋などの厚みが随分と薄くなり軽量化が進みました。それでも膨大な量のプラスチック廃棄物が生じます。それらは自然環境のもとで完全に分解し消滅するということはありません。したがって、廃棄されそのままの形で残り続けるか（日本国内の場合は約六％）、焼却炉で燃やされるか（同じく約七〇％）、リサイクルされるか（同じく約二五％）のいずれかの運命をたどります。焼却されると地球温暖化のもととなる二酸化炭素が排出され、三〇〇～四〇〇℃の低温燃焼条件ではダイオキシンなどの毒性物質が発生します。一方で、世界全体で見たときプラスチックごみの約二割は海洋へと流れていきます。

海洋に流れ出すプラスチックの量は世界全体で年間八〇〇万トンと言われており、それらは破砕されて微小なマイクロプラスチックとなり海洋を漂っていきます。海洋生物の体内にマイクロプラスチックは蓄積されていき、さらには魚を口にする人類の体内にも入り込んでいく可能性があります。このまま何もせずに放置していると、二〇五〇年には海洋プラスチックの重量が魚の重量を上回ると推測されています。

❖ プラスチックのリサイクルと持続可能な生分解性プラスチック

プラスチックごみを少しでも減らすためのリサイクル技術は一九九〇年代から急速に進歩してきました。回収された熱可塑性プラスチックは七つの樹脂識別コードに基づいて分類され、種類ごとに裁断・洗浄され、高温で溶かされて別の製品に再形成されます。日本とアメリカで廃棄されたプラスチックのそれぞれ約二〇％と一〇％がこういった「マテリアルリサイクル」の工程で再生ペットボトルや食品トレーに生まれ変わります。とくに、樹脂識別コード一のポリエチレンテレフタレートは通称ＰＥＴつまりペットボトルの素材ですが、他の六種類に比べて最もリサイクルしやすいプラスチックです。これまでペットボトルを大量消費してきた欧米の飲料水メーカーは、再生ペットボトルへの置き換えに舵を切っています。

最近はプラスチックごみを少しでも減らす目的で、生分解性プラスチックの開発が加速しています。生分解性プラスチックとは、バクテリアや菌などの微生物が消費することで、二酸化炭素、メタン、水などの自然的副産物にまで分解されるプラスチックを指しています。さらに海洋生分解性プラスチックであれば、海洋中に流れ出たとしても微生物により分解し、形が完全に消滅するものと定義されます。

生分解性プラスチックの例としてはポリ乳酸を挙げることができます。このポリマーは炭素原子二つと酸素原子が連なったモノマー骨格C-C-Oを持ち、中央の炭素原子には別の酸素原子がつながっています。これら二つの酸素原子のおかげで、高分子骨格の中に局所的な電荷の偏りが生じ、それによってポリ乳酸は比較的容易に分子レベルまで分解されるプラスチックとなっています。ポリ乳酸は成長の早い植物を原料として作られるので、その点からも持続可能なプラスチックと見なされており、他のプラスチックからの転換が今後期待されています。

我々は高度な物質社会の恩恵の中で生活していますが、本章で見てきたように、二一世紀になって環境破壊、地球温暖化、エネルギー枯渇、食糧問題などの多くの深刻な問題を抱えています。

【図45】生分解性プラスチックのリサイクルと環境循環、およびポリ乳酸の化学式

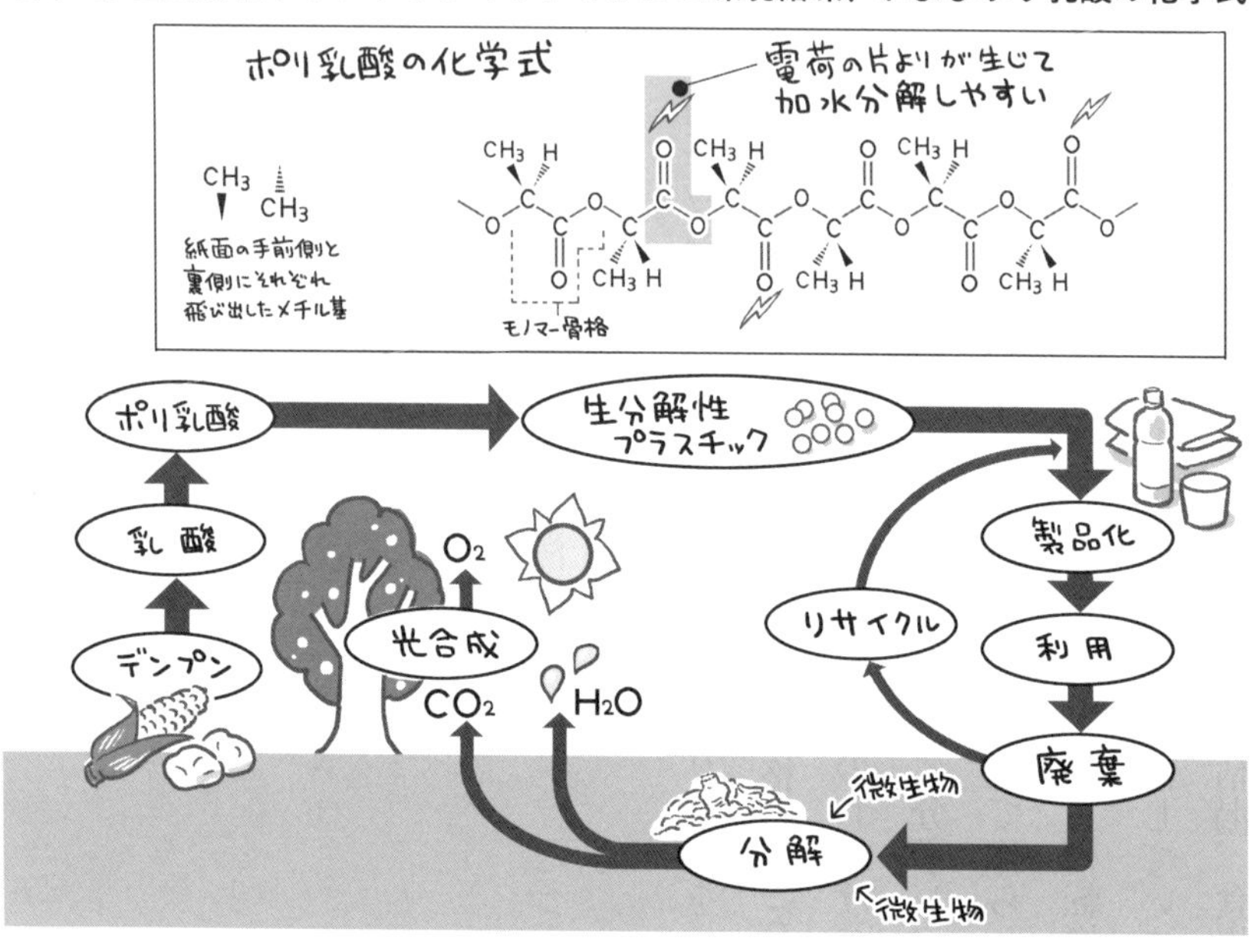

それらの要因の多くは、主に一八世紀以降の人類の活動に起因するものであり、自然科学がもたらした知識と技術および大量生産と大量消費の結果が様々な弊害を生み出していると言っていいでしょう。

しかし、こういった諸問題を分析し解決できるものは、やはり現代の科学と技術なのです。自然科学を志す者が、過去の歴史を学んだうえで、複数の分野を横断的に行き来して妥当な対策を多面的に模索していく、このプロセスこそが最も有益な指針を得るための近道であろうと考えています。

参考文献

『科学史』斎藤憲他著、佐々木力編（弘文堂入門双書）、一九八七
『自然科学概論―生命の惑星（地球）その生い立ちと未来』香月裕彦著（講談社サイエンティフィク）、一九九〇
『自然科学ノート―近代および現代自然科学をめぐって』鈴木賢英著（文化書房博文社）、一九九三
『科学は歴史をどう変えてきたか：その力・証拠・情熱』マイケル・モーズリー、ジョン・リンチ著、久芳清彦訳（東京書籍）、二〇一一
『X線からクォークまで―20世紀の物理学者たち』エミリオ・セグレ著、久保亮五、矢崎裕二訳（みすず書房）、一九八二
『現代科学史大百科事典』太田次郎総監訳、桜井邦朋、山崎昶、木村龍治、森政稔監訳、久村典子訳（朝倉書店）、二〇一四
『科学史こぼれ話』佐藤満彦著（恒星社厚生閣）、二〇〇二
『科学その歩み』藤村淳、肱岡義人、江上生子、兵藤友博著（東京教学社）、一九八八
『セレンディピティー―思いがけない発見・発明のドラマ』ロイストン・M・ロバーツ著、安藤喬志訳（化学同人）、一九九三
『天才科学者のひらめき36：世界を変えた大発見物語』リチャード・ゴーガン著、北川玲

訳（創元社）、二〇一二
『〈なぜ生まれた？ どう進化した？〉早わかり科学史』橋本浩著（日本実業出版社）、二〇〇四
『科学史ひらめき図鑑―世界を変えた科学者70人のブレークスルー』スペースタイム著、杉山滋郎監修（ナツメ社）、二〇一九
『パラダイムでたどる科学の歴史』中山茂著（ベレ出版）、二〇一一
『フューチャー・オブ・マインド―心の未来を科学する』ミチオ・カク著、斉藤隆央訳（ＮＨＫ出版）、二〇一五
『教養としての化学入門』キンバリー・ウォルドロン、竹内敬人訳（化学同人）、二〇二二
『ＤＮＡの謎に挑む―遺伝子探究の一世紀』渡辺政隆著（朝日選書）、一九九八
『遺伝子・ゲノム最前線―先端研究者七人が明かす』和田昭允監修、石田雅彦著（扶桑社）、二〇〇二
『21世紀の知を読みとく　ノーベル賞の科学【化学賞編】　なぜ彼らはノーベル賞をとれたのか』矢沢サイエンスオフィス編著（技術評論社）、二〇一〇
『図説　世界を変えた50の科学』ピーター・ムーア、マーク・フレアリー著、小林朋則訳（原書房）、二〇一四
『科学の最前線を歩く』東京大学教養学部編（白水社）、二〇一七
『若い読者のための科学史』ウィリアム・Ｆ・バイナム著、藤井美佐子訳（すばる舎）、二〇二〇
『冷蔵と人間の歴史―古代ペルシアの地下水路から、物流革命、エアコン、人体冷凍保存まで』

トム・ジャクソン著、片岡夏実訳（築地書館）、二〇二一
中辻慎一「Adolf von Baeyerと有機色素化学」『サイエンスネット』第三三号、二〇〇八、六―九.
田辺義一「19世紀から20世紀前半の研究現場における技術と科学の位置づけと役割」『国立科学博物館研究報告E類（理工学）』第四〇巻、二〇一七、一―二〇.
伊藤和行「ジョルダーノ・ブルーノの地動説」『科学史研究』、二一巻、一九八二、八一―八七.
「プラスチックリサイクルの基礎知識二〇二二」、（プラスチック循環利用協会）

わ

ま

さ

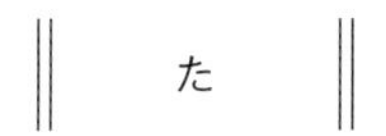
た

か

索引

＊外国人名は姓（下線部分）の五十音順に並んでいます。

あ

見附孝一郎（みつけ・こういちろう）

1959年　山口県出身
1986年　東京大学理学研究科博士課程修了
1991年　自然科学研究機構分子科学研究所助教授
2012年～　城西大学教授、現在に至る
2014年～　法政大学兼任講師
理学博士
専門　物理化学
著書　『基礎物理化学演習』（三共出版）

自然科学ヒストリア
――ギリシャ哲学から現代科学まで

2023年7月31日　初版第1刷発行

著　者　見附孝一郎
イラスト　福井若恵
発行者　瀬谷直子
発行所　瀬谷出版株式会社
〒102-0083
東京都千代田区麹町5－4
電話 03-5211-5775　FAX 03-5211-5322
https://www.seya-shuppan.jp
印刷所　精文堂印刷株式会社